JN063406

よみがえるレオナルド・ダ・ヴィンチ

作品復元プロジェクト

［編著］東京造形大学ダ・ヴィンチ・プロジェクト

東京美術

はじめに

ルネサンスの巨人レオナルド・ダ・ヴィンチは、今から約五〇〇年前の一五一九年に亡くなりました。彼は《最後の晩餐》や《ラ・ジョコンダ（モナ・リザ）》という、世界で最も知られた絵画を描いた画家ですが、六十七年の生涯で残した作品は驚くほど少なく、現存絵画は十六点ほどしかありません。しかもその多くは未完成であったり、欠損しており、完全な姿で残っている完成品は四点しかありません。

そこで東京造形大学では、二〇一九年にすべての絵画をヴァーチャル復元する作業に挑戦しました。教員の指導のもと、学生たちが未着色作品に彩色を施したり、消失部分を科学的根拠に基づいて復元するプロジェクトを行いました。完全な状態で全十六作品を復元するのは、世界初の試みです。

また完成に至らなかったブロンズ製騎馬像や、構想していた巨大建築物、当時の技術では実現不可能だった工学系発明品なども、縮小模型や３ＤＣＧなどによって実現しました。本プロジェクトでは、彼の絵画空間のなかに入り込んだり、彼が考案した機械を動かすＶＲなども試みました。それらの多くが、やはり世界で初となります。

本書で紹介するのは、レオナルドがかつて抱いた夢の一部を、五〇〇年後の今、実現させたその成果なのです。

レオナルド・ダ・ヴィンチ《自画像とされるデッサン》

1512年頃か　33.3×21.3cm　トリノ、王立図書館

レオナルドの自画像と考えられてきたデッサンだが、当時の記録が一切ないため、自画像と断定できる証拠はない。しかし弟子メルツィによるレオナルドの横顔スケッチなどとも類似点は多い。67歳で亡くなったレオナルドの自画像としてはやや老けすぎではあるが、実年齢よりも老いさせて「やがて訪れる死を受け容れ、達観した賢者的な姿」として描く方式にならった可能性は高い。

目次

［凡例］
●各作品データは原則として、
［作者　制作年　サイズ：縦×横（×高さ）オリジナル作品の所蔵先］の順に記載している。
●記載した各作品の制作年はオリジナル作品の制作年であり、再現作品の制作年はすべて二〇一九年である。
●絵画の復元作品には、識別しやすいよう図版周囲に縁取りを施している。
●掲載されたおもなレオナルドの手稿の所蔵先は以下の通りである。
『アトランティコ手稿』　ミラノ、アンブロジアーナ図書館
『マドリッド手稿I・II』　マドリッド、国立図書館
『パリ手稿』　パリ、国立図書館

偉大なる「普通のひと」
――レオナルドの生涯

池上英洋

庶子として生まれて

レオナルド・ダ・ヴィンチは、一四五二年四月十五日、イタリアのヴィンチ村に生まれた。公証人をしていた父セル・ピエロは村の娘カテリーナと結ばれて第一子レオナルドをもうけたが、正式な結婚をすることなく、彼女を知り合いの男へ嫁がせて自分はほどなくフィレンツェの商家の娘を娶る。立身出世を目指す父は、中核都市フィレンツェに出て事務所を開く。当時の高い産褥死亡率のせいで、その後のレオナルドには実母養母合わせて五人の母がいて、大勢の異母弟妹ができる。

小さな村に残されたレオナルドはしかし、祖父母と叔父に可愛がられ、豊かな自然に囲まれて育つ。野心的な父と異なり、この祖父と叔父は無欲で穏やかな性格で、無職のまま一生を送る。レオナルドが彼らに愛されて育ったことは、その後叔父の遺言状で、当時の慣習に逆らって、正式な甥姪ではなく庶子のレオナルドただひとりが相続人に指名されたことからもわかる。このことで長い法廷闘争に苦しむことにもなるのだが。

ヴィンチ

フィレンツェ

アンボワーズ

ミラノ

ローマ

庶子に家業を継がせることは公証人組合が許さないので、十三歳頃にアンドレア・デル・ヴェロッキオの工房へ徒弟奉公に入る。満足な初等教育も受けていないので、左手による鏡文字で筆記し続け、ラテン語本の読書で生涯苦しむことにもなる。

ヴェロッキオは当時フィレンツェを代表する大工房をかまえており、ボッティチェッリやペルジーノらがいた。フィレンツェには多くの才能が集まり、メディチ家の主導のもと、ルネサンス文化が最盛期を迎えていた。しかしその裏で経済状況は徐々に悪化し始めており、ルネサンスを支えた銀行家たちも不動産経営へシフトしていた。花の都フィレンツェは衰退前の最後の輝きを放っていた。

平凡な修業時代

工房での修業時代に手がけた素描などにはレオナルドの早熟さを示すものが少なくないが、しかし彼の才能が開花するまでには長い時間がかかった。何点かの聖母子像を手がけていたことがわかっているほか、二度あった大きな注文はいずれも未着手と未完成に終わった。その後も一生彼についてまわる未完癖は、ロマッツォが記録したとおり指先の麻痺のせいなのか、何かしら性格的なものなのだろう。しかしそれ以上に、妙な契約条件や戦争の勃発、試した技法の失敗といった不運のせいでもあった。おまけに当時の画家としては致命的なほどに、彼は筆が遅かった。

こうして彼の修業時代は、あまり目立った活躍もないまますぎていった。親方として登録はされたが独立できるほどの仕事はなく、その後も師匠の工房にとどまる。無罪にはなったが、同性愛のかどで密告されてもいる。そして決定的なことに、ヴァチカンのシスティーナ礼拝堂装飾のために、法王シクストゥス四世が半島の名だたる画家たちを集めた一大事業において、レオナルドは当然のように選に漏れる。彼は勇んで旅立つ兄弟子たちの後ろ姿を見送る、その他大勢のひとりにすぎない。

そろそろ三十歳になろうとしている。もはやフィレンツェにいてもこれ以上の飛躍の見込みはない。賭けに出ても良い頃だ――。こうしてレオナルドは、祖国をあとにする。彼にはまだ何もない。あるのは工房で得た知識と経験、そして根拠のない自信と野心だけだ。

才能の開花

レオナルドが、隣国ミラノの支配者スフォルツァ家へあてた自薦状が残っている。そのなかで彼が自分を売り込むために挙げた十項目のうち、実に九までが軍事知識の披露にあてられていることに驚く。なにしろそれまで、彼には軍事に従事したいかなる経験もないからだ。しかし戦国期のルネサンスは、芸術家が絵の腕前だけで諸国を渡り歩くような状況にはない。ミラノの僭主ルドヴィコ・スフォルツァ（イル・モーロ）の拡張政策はヴェネツィアを刺激し、西からはフランスも半島に色気をみせている。音楽家としての紹介付きで派遣されてきたレオナルドを、こうしてミラノは軍事技師として雇い入れる。

自薦状の最後の第十項目で、ようやく彼は平和時における芸術家としての自己の才能をアピールしている。幸運なことに、活気溢れる宮廷は、彼の芸術的才能を引き出す機会をただちに提供する。それらの多くは結婚式などの祝祭での、衣装デザインや舞台装置、楽器開発まで含む演出であり、そこでの成功が彼の評価をたちまち高めることとなった。建築家ブルネッレスキら多くのルネサンスの芸術家と同様、レオナルドにとって総合演出家としての活動は大きなウエイトを占めている。

ミラノ時代に、彼は軍事から派生してさまざまな分野での研究を始める。地理学や天文学、数学に光学、有名な解剖学や飛翔の実験も、もとをたどれば軍事目的から発している。彼は工学者や建築家として活動し、《最後の晩餐》でついに画家としての名声も確立する。史上最大の規模で進められた騎馬像計画は、しかしフランス軍の侵入によって中断される。あとは鋳造に入るばかりと集められた大量の青銅は、大砲の鋳造に転用されてしまった。パトロンを失った失意のレオナルドは、占領下のミラノをあとにする。

レオナルドは北イタリアの諸国をまわったのち、再び軍事技師としての職を得る。今度の雇い主は教皇を父に持つチェーザレ・ボルジアである。若き将軍の電光石火の転戦に従軍し、各地で惨劇を目の当たりにしたレオナルドは、ある日突然戦場を離れる。

再びフィレンツェに戻ったレオナルドには、画家としてのあらたな戦いの場が用意されていた。メディチ家を追い出していたフィレンツェ共和国は彼に、政庁の大会議場に、フィレンツェ史上重要な戦闘の場面を描くよう依頼した。共和国は彼と競作させようとミケランジェロを呼ぶ。この〝世紀の対決〟はしかし、レオナルドは考案した技法の失敗で、ミケランジェロはローマ教皇の強引な召喚によって不成立に終わった。

遠国での穏やかな晩年

活動後半期のレオナルドは、絵画への情熱をかなり失っていたように見える。最初は絵画への利用のために始められた数々の探求は、それ自体の探求が目的となっていた。当時の誰もが見たことのない地平をひとり知ることのできた彼だが、だからこそ孤独だったのだろう、「友人がいない」と告白し、「まだ自分は何もなしとげていない」と悲しく落ち込む画家の心情が、手稿には時おり吐露されている。

ローマではメディチ家出身の法王が誕生し、レオナルドはその弟の招待を受ける。こうして永遠の都には三巨匠が揃ったが、しかしミケランジェロとラファエッロが揃って歴史的なモニュメントを派手に仕上げつつある一方で、パトロンの死という不運がレオナルドには待っていた。

晩年になって、ようやく画家は遠い異国に安住の地をみつける。最後の三年間、老いたる画家はフランス宮廷で、諸芸に通じた万能の人として遇された。時おり催される行事で昔ながらの演出を見せるほかは、主としてフランソワ一世の話し相手をつとめる日々を送った。生涯にわたり時代に振り回され、しかし時代の激流のなかにこそ生きる場所を見出し、輝ける才能を羽ばたかせた偉大な挑戦者は、一五一九年五月二日、アンボワーズでその一生を終えた。ルネサンスの激動そのままの、波乱に満ちた六十七年の生涯だった。

年表

（作品を中心に）

西暦（年）	年齢（歳）	事項
1452	0歳	4月15日、ヴィンチ村に生まれる。父は公証人のセル・ピエロ、母はカテリーナ。両親は結婚せず、父方の祖父アントニオのもとで育てられる。
1465	13歳	この頃フィレンツェに移り、ヴェロッキオ工房に入る。
1472	20歳	6月、サン・ルカ画家組合に親方として登録される。この頃、**《受胎告知》**と**《カーネーションの聖母》**に着手。
1476	24歳	4月、ヤコポ・サルタレッリをめぐる男色行為で告発される。6月に再審。
1478	26歳	「1478年12月、二点の聖母像にとりかかった」（二点は**《ブノワの聖母》**か）。
1479	27歳	12月28日、パッツィ事件の犯人バロンチェッリの処刑の様子をスケッチ。
1480	28歳	**《ジネヴラ・デ・ベンチ》**をベルナルド・ベンボの依頼により制作か。
1481	29歳	3月、フィレンツェのサン・ドナート・ア・スコペート修道院より**《東方三博士（マギ）の礼拝》**の注文。7月に契約締結。
1482	30歳	《東方三博士の礼拝》と**《聖ヒエロニムス》**の制作を中断か。ミラノ公国への自薦状。軍事技師として雇われフィレンツェをあとにする。
1483	31歳	4月25日、デ・プレディス兄弟とともに、無原罪懐胎同信会よりサン・フランチェスコ・グランデ教会附属礼拝堂祭壇画の委嘱（**《岩窟の聖母》**）。
1487	35歳	8月以降、ミラノ大聖堂ティブーリオの模型に対する支払いを数度受ける。
1489	37歳	7月22日、ミラノ大使アラマンニからロレンツォ・デ・メディチ（イル・マニフィコ）宛て書簡。イル・モーロが《スフォルツァ騎馬像》をレオナルドに要請したと記す。

★年齢は誕生日時点での満年齢を示す。

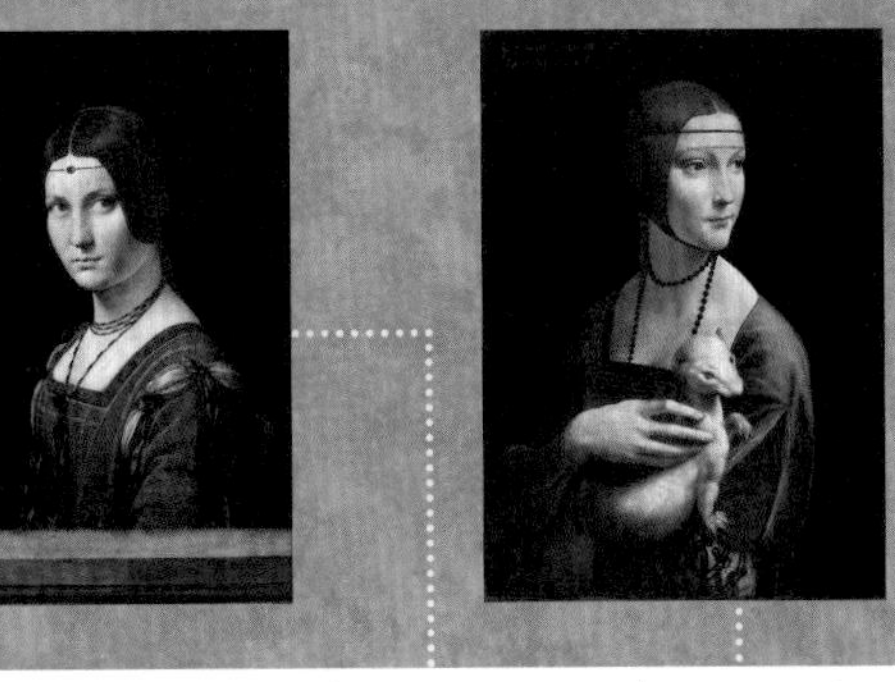

1490　38歳
1月、ミラノ公とナポリ王娘の祝婚行事で「パラディーゾ」上演。
この頃、チェチリア・ガッレラーニの肖像画（**《白貂を抱く貴婦人》**）を制作。
7月22日、当時10歳のサライが住み始める。これ以降、頻繁に盗みを働く。

1492　40歳
この年、イル・マニフィコが死去。
教皇アレクサンデル6世（チェーザレ・ボルジアの父）が即位。コロンブスがアメリカ大陸に到達し、イタリアが地理上の優越性を失っていくきっかけとなる。
この頃、**《ラ・ベル・フェロニエール》**を制作。

1493　41歳
7月16日、「カテリーナ来る」と記す。おそらく実母のこと。
11月30日、《スフォルツァ騎馬像》の粘土像、ビアンカ・マリーア・スフォルツァと神聖ローマ皇帝マクシミリアンの祝婚祭典で披露される。

1494　42歳
フランス軍の侵入をうけて、11月、騎馬像用の青銅が大砲製造にまわされる。
カテリーナ（おそらく実母）の埋葬に要した諸経費のリストを記す。

1496　44歳
1月31日、タッコーネ台本、レオナルド演出の「ダナエ」劇上演。

1498　46歳
2月頃、**《最後の晩餐》**完成。
2月8日、スフォルツァ城での「学芸の決闘」にルカ・パチョーリと参加。
レオナルドがスフォルツァ城「アッセの間」の装飾にとりかかる、と4月23日にバスカペが記録。
4月26日、イザベッラ・デステからチェチリア・ガッレラーニへ、レオナルドが描いた肖像画（《白貂を抱く貴婦人》）を貸してほしいとの手紙。
5月23日、フィレンツェで神権政治を行っていたサヴォナローラの火刑。

1499 47歳 4月26日、イル・モーロからミラノ郊外の葡萄園を与えられる。フランス王ルイ12世、10月6日ミラノ入城、イル・モーロ敗走しレオナルド失職。

1500 48歳 2月頃にマントヴァで公妃イザベッラ・デステの肖像をデッサン。ヴェネツィアをまわってフィレンツェへ戻る。

1501 49歳 春にフィレンツェで聖母子像のカルトンが2日間公開されて大評判をよぶ。
その派生形がのちの《**聖アンナと聖母子**》。
4月、ノヴェッラーラ神父からイザベッラ・デステへの複数の書簡。レオナルドはフロリモン・ロベルテのために《**糸巻きの聖母**》を制作中。

1502 50歳 この年、チェーザレ・ボルジアの「建築家・技師」として教皇軍と転戦。
マキャヴェッリ、10月にフィレンツェからチェーザレ勢力下のイモラに派遣される。同地でレオナルドと親交を結ぶ。

1503 51歳 アンブロージョ・デ・プレディスと《岩窟の聖母》の支払額再審査請求。
レオナルドが**リザ・デル・ジョコンド**の肖像を描いている、とアゴスティーノ・ヴェスプッチが10月に記録。
10月18日、フィレンツェ画家組合再加入。この頃蔵書116冊のリスト作成。

1504 52歳 1月25日、ミケランジェロの《ダヴィデ》設置場所の検討会議に出席。
5月4日、五百人広間の壁画《アンギアーリの戦い》制作の契約締結。
7月9日、父セル・ピエロ死去。レオナルドも二度メモを残す。
8月、ミケランジェロに政庁から五百人広間壁画の委嘱。世紀の対決へ。

1505 53歳 《アンギアーリの戦い》彩色を始めた6月6日、豪雨により下絵損壊。

1506 54歳 4月27日、ミラノで《**岩窟の聖母**》の支払額再審査と再契約締結。
4月30日、亡父セル・ピエロの遺産分配がレオナルド抜きで行われる。

		この頃、フィレンツェとフランス政府間でレオナルド滞在の綱引き。
1507	55歳	3月12日、チェーザレ・ボルジア戦死。 フランス王ルイ12世より、「わが国専任の画家兼技師」に任命される。 異母弟妹たちとの遺産相続訴訟。 8月15日のフランス政府書簡に、「王が望まれている一点の板絵」への言及（《**サルヴァトール・ムンディ**》か）。
1508	56歳	3月22日、手稿の断片を集めて書にすると記す。 《トリヴルツィオ騎馬像》計画に着手（のちに頓挫）。 医師マルカントニオ・デッラ・トッレとの出版計画が医師の急逝で頓挫。
1513	61歳	9月24日、メルツィやサライらとローマへ出発。この頃、《**洗礼者ヨハネ**》。
1515	63歳	7月12日、フランス王フランソワ1世凱旋式のための機械仕掛けライオンを送付。 10月、教皇レオ10世の随員としてフィレンツェとボローニャへ出発。 12月9日、農場管理人ボーニに対し、今年のワインにはガッカリ、との手紙。
1516	64歳	3月、ヌムール公急逝。パトロンを失ったレオナルドは冬にフランスへ出発。
1517	65歳	10月10日、枢機卿一行がクルー館を訪問。随員デ・ベアティスが手稿と絵画3点を見たこと、レオナルドが30体以上解剖してきたことなどを記す。 デ・ベアティス、12月にミラノで《最後の晩餐》が傷んでいると記す。
1518	66歳	6月19日、王家の祝婚行事で劇「パラディーゾ」の再演。
1519	67歳	4月23日、遺言状に捺印。5月2日、アンボワーズで死去。8月12日に葬儀。 同年、マゼランが世界周航に出発。

絵画

レオナルドは変わった画家である。通常の約束事を無視し、己の個性的な様式のみを追究し、細かなことに執拗にこだわる一方、ほとんど完成に至らない。まずは彼の作品の、本来あるべきだった絵を見てみよう。

《ラ・ジョコンダ（モナ・リザ）》オリジナル

復元

《ラ・ジョコンダ（モナ・リザ）》
La Gioconda (Monna Lisa)
レオナルド・ダ・ヴィンチ　一五〇三―〇五年頃（その後も手を加え続けたか）
79.4×53.4cm　パリ、ルーヴル美術館

疑いなく、世界で最も知られた絵画作品。日本には一九七四年に貸し出されて一五一万人を動員し、以来、単館企画展の入場者数世界記録となっている。

　しかしいまだに謎が多く、モデルが誰かという問題ひとつとってみても諸説入り乱れて解決をみていない。フィレンツェの商人ジョコンドの妻リザを描いていたとの証言も残っているが、それがこの絵のことなのかさえ確証はない。いずれにせよ、どこかの時点で注文契約が失効したのだろう。通常なら塗りつぶされて他の作品用の板となるが、レオナルドはその後もずっと手もとに置いて手を入れ続けた。売るあてもなく趣味的な絵を描くこと自体、非常に近代的な行為ではある。そのため、この女性は特定の誰かではなく、自らの理想を形にした普遍的女性像となったのだと考えたい（22頁コラムに詳述）。

　同様に、幻想的な背景も特定の場所ではなく、彼が考えていた地球の生成の様相だと思われる。というのも、レオナルドは世界と人間は相似関係にあると考えており、水の循環が引き起こす浸食と堆積、洪水によって、世界も人間と同じように生まれて育ち、やがて死を迎えるものとみなしていた。こうして、地熱で熱せられた地下水（画面左中央）が地上に出て、地球を形

作って、ぐるりとまわって戻ってくる循環が、モナリザの心臓と重なるように通っているのはただの偶然だろうか——。

復元にあたっては、黄変したニスを除去し、表面の顔料層に発生したひび割れを修復した（制作には長年かかっており、レオナルドの死亡時にはすでにひび割れが始まったと考えられるため、完全には除去していない）。さらに指の未完成部分については、赤外線撮影画像で確認できる下絵に基づいて爪などを補った。

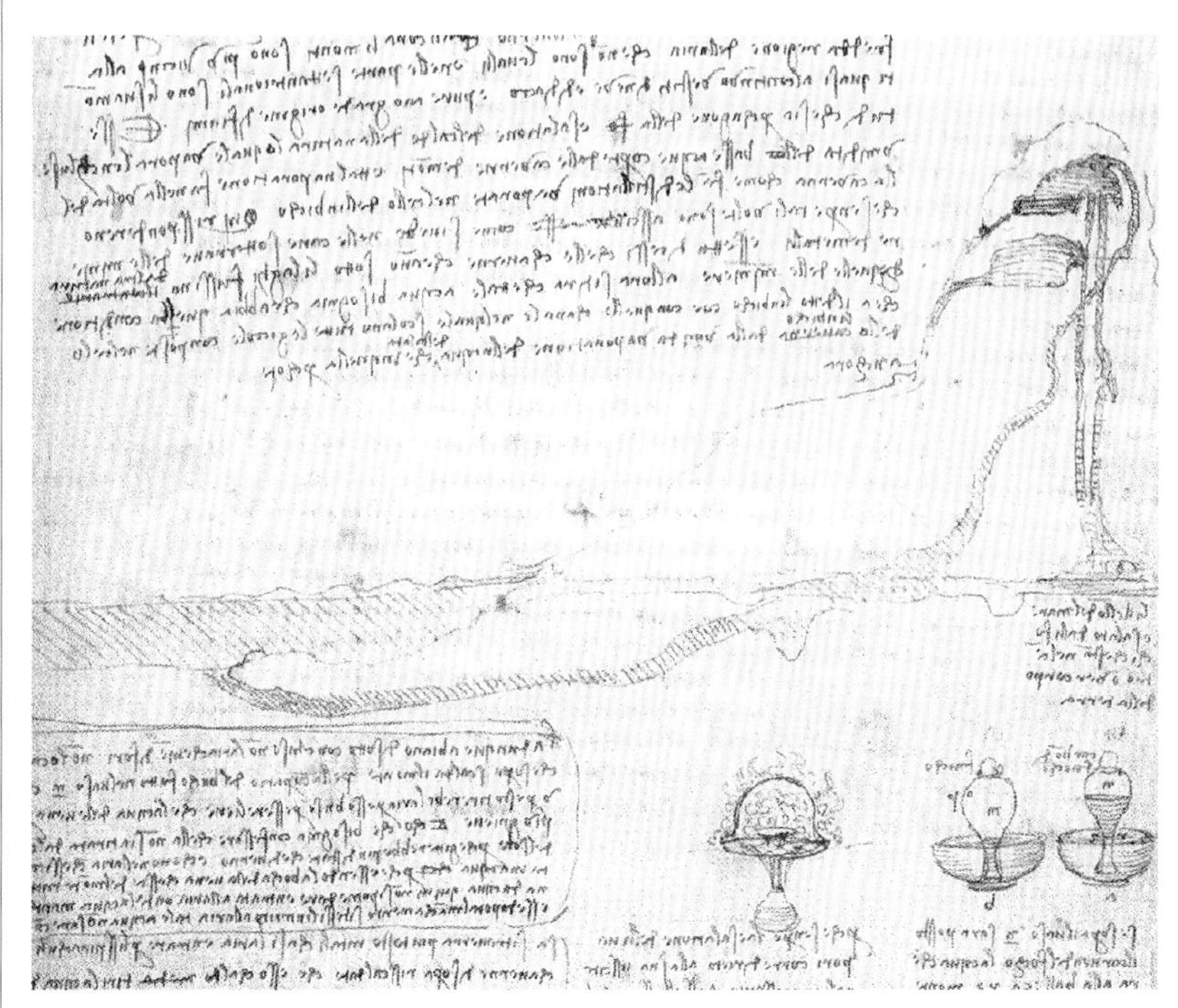

レオナルド・ダ・ヴィンチ

《水の循環の仮説》

『レスター手稿』、シアトル、

ビル&メリンダ・ゲイツ文化財団、f.3v.

《ラ・ジョコンダ（モナ・リザ）》に描かれているのは誰か

世界で最も知られたこの絵画は、薄いポプラの板に描かれている。じっと見つめていると、包まれるような感じがする、あるいは逆に、何かしら不安感のようなものが湧いてくるなど、人によってさまざまな感想を抱かせる不思議な作品だ。と同時に、描かれているのが誰かさえ定かでない、謎の多い作品でもある。

モナ・リザとはリザ夫人という意味で、フィレンツェで商人をしていたフランチェスコ・デル・ジョコンドの妻となった、リザ・ゲラルディーニという実在の女性を指している。アゴスティーノ・ヴェスプッチという役人が、持っていたキケロの本の余白に、「一五〇三年」の日付とともに、「画家レオナルド・ダ・ヴィンチがリザ・デル・ジョコンドの絵を描いている」と書き込んでいる（図1）。ちなみにアゴスティーノは、アメリカの名の由来となったアメリゴ・ヴェスプッチの従兄弟にあたる。

ただ、現在ルーヴル美術館にある有名な作品が、リザ夫人を描いた絵なのかどうかには諸説ある。というのも、この絵を当時見たことがあるヴァザーリ（44頁参照）が、絵には描かれていない眉毛について記述していたり、レオナルドが亡くなったあと、モナ・リザに関する複数の証言が錯綜していたりするからだ。

ここでは詳しい考察を省くが、最も妥当だと現時点で思われるのは、やはり最初はリザ夫人を描いたものだったが、何かしらの理由で契約が無効となったのち、レオナルドが自分なりに描き変えていったというシナリオである。売ることを目的とせずに、これほど描き込んだとすれば、そのようなことをした画家はやはり美術史上でレオナルドが最初となる。趣味的に絵を描くというのは、もっとあとの、実に近代的な行為なのである。

近年、赤外線撮影による調査が、非常に有効な情報をもたらしてくれるようになった。この作品でも、絵の具の層の下に描かれた下絵の線を見ることができる（図2）。それをもとに、フランスの光学調査の専門家パスカル・コットが、最初の下絵のままもし最後まで描かれていたら、どのような顔つきになっていたかを推測した研究がある。その結果導き出されたリザ夫人の顔つきは、ずいぶんと印象が変わっている（図3）。契約破棄後はリザに似せる必要もなくなったので、その後、レオナルドによって顔が変えられていったものと思われる。

そこには、おそらく母親の面影があったはずだ。両親が正式な結婚をしなかったため、レオナルドは幼くして実母と生き別れになったが、隣村の職人のところへ嫁い

図1—アゴスティーノ・ヴェスプッチによる、《ラ・ジョコンダ》に関するメモ
ハイデルベルク大学図書館

図2—赤外線撮影写真（下絵）

図3—パスカル・コットによる、下絵から推測される当初のモデルの容姿

図4—レオナルド・ダ・ヴィンチ、カテリーナについての記述
『フォースター手稿 III』、f. 88r. ロンドン、ヴィクトリア&アルバート美術館

だ母とは、しばしば顔を合わせていたに違いない。そして四十一歳の時、ミラノにいたレオナルドが「カテリーナ来る、七月十六日、一四九三年（Catelina venne a dì 16 di luglio 1493）」と書いている（図4）。そしてそれからしばらくして、カテリーナが亡くなったのだろう、彼女の葬儀に必要なもののリストが書かれている。レオナルドがそのようなことをした相手は、後にも先にも彼女だけである。カテリーナの夫と息子が相次いでその頃に亡くなったこともわかっているので、身寄りをなくした母カテリーナが、ミラノで成功している息子を頼ってきたのだろう。そして、彼女が亡くなるまでの数ヵ月、ふたりきりの穏やかな時間を過ごせたのかもしれない。

　幼い頃に離れ離れとなった実の母とようやく一緒に暮らすことができたので、のちにこの絵の女性の顔に筆を加えているうちに、徐々に母の面影が反映されていったのではないだろうか。

　よくモナ・リザの顔は、レオナルドの自画像に似ているといわれる。それも当然だ。実の母なら、自分の顔と似ていて当然なのだから。

on ſolum ſalutis meae quē
e etiā uirum & coloris ra
Appelles Veneris caput
te perfecit: reliquam partē
quidam homines in capi
uum corpus imperfectū
ſpem fefelli : non modo
um meorum : qui de uno
que iudicio omnium ma

図1

図2

図3　©Pascal Cott, *Monna Lisa dévoilée*, éditions Télémaque, 2019 に基づく。

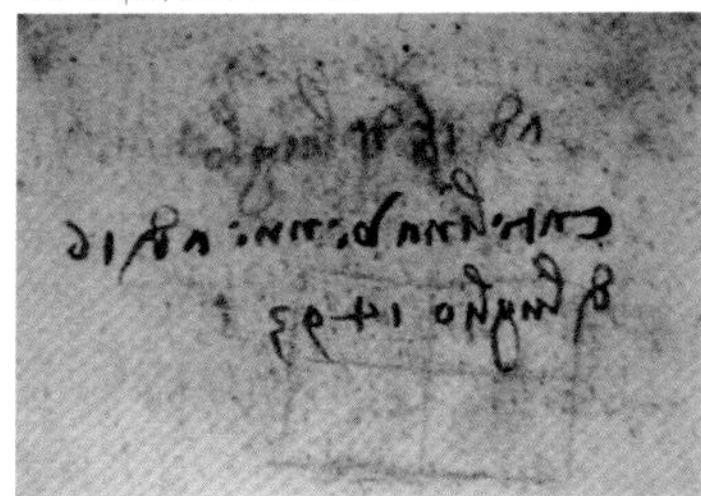

図4

《ジネヴラ・デ・ベンチ》オリジナル

復元

《ジネヴラ・デ・ベンチ》裏面 オリジナル

復元

《ジネヴラ・デ・ベンチ》および裏面

Ginevra de' Benci
レオナルド・ダ・ヴィンチ　一四七八―八〇年
58×37.7cm（オリジナル作品は38.1×37cm）
ワシントン、ナショナル・ギャラリー

ジネヴラはメディチ銀行の番頭格だったベンチ家の娘。レオナルドと同時代の商人ビッリが、画家がジネヴラの肖像を描いたと記しており、また裏面の中央に描かれた杜松（ジネプロ）がジネヴラの語呂合わせにもなっていることから、本作のモデルがジネヴラであることは確実である。右端と下部に切断痕がある。実作品の裏面には最下部に顔料層の剥離があるため、おそらく水浸しになったかなにかの理由でのちの所有者が切断したのだろう。では、もともと何が描かれていたか。表面は、師ヴェロッキオによる同モデルの大理石胸像と、レオナルド自身の手のスケッチから推測できる。裏面は、注文主と考えられるヴェネツィア大使ベルナルド・ベンボのインプレーザ（標章）に酷似している。彼はジネヴラをミューズ（芸術のインスピレーションを与えてくれる存在）として称揚していた。

こうした根拠に基づいて、当プロジェクトでは切断部分の復元を試みた。とくに裏面の復元は世界初の試みである。

《ジネヴラ・デ・ベンチ》切断部分の復元

本プロジェクトでは《ジネヴラ・デ・ベンチ》の切断部分の復元に挑戦した。表面と裏面とも復元する必要があるが、表面に関しては、本プロジェクトが目指すような彩色復元画にまでは至らないものの、所蔵機関であるワシントンのナショナル・ギャラリーのチームによって、「こうではないか」というイメージ画は提起されたことがある。編著者もその担当者から直接話を聞いたことがあるが、復元のための根拠となったのは次の二点である。

A―同じモデルを彫ったと考えられる、師ヴェロッキオによる大理石彫刻《花束をもつ婦人》のポーズ（図1）。

B―ジネヴラの手のデッサンと考えられる、ウィンザー紙葉のポーズ。

本プロジェクトでも、多少の修正は加えたが、基本的には同様の考えに基づいて表面の復元を行った。

一方、裏面の復元は世界で初めての試みとなった。

まず、現状絵画の裏面には銘文の入った帯があるが、そこには「VIRTUTEM FORMA DECORAT（美は徳を飾る）」と書かれていて、モデルをつとめたジネヴラの美貌と人徳をたたえている。ところが、赤外線撮影写真によると、そこにはもともと「VIRTUS ET HONOR（徳と名誉）」と拙い文字で下書きされていたことが明らかとなった。このモットーをインプレーザ（標章）としていた人物がいる。ベルナルド・ベンボという、当時フィレンツェに赴任していたヴェネツィア大使である。そしてジネヴラとベルナルドのどちらも結婚相手がいるが、ちょうどダンテにとってのベアトリーチェのように、当時一級の文化人でもあったベルナルドにとって、ジネヴラが芸術の霊感を与えるミューズ的存在だったことが、当時の詩にも詠われている。おまけに、インプレーザには中央のジネプロ（杜松）こそないが、月桂樹と棕櫚はジネヴラ肖像画の裏面とピタリ一致する（図2）。

おそらくは彼が肖像画の注文主だったのだろう。そこで本プロジェクトでは、ベルナルドのインプレーザをもとに、裏面の復元を行った。

また、ジネヴラは下部だけでなく画面右端（裏面では左端）の側面にも切断痕がある。そのため、裏面の中央に描かれた杜松の枝が、画面のちょうど真ん中に来るものと考えて、裏面左端を延長した（表面右端もそれに応じて延長した）。

図1（上）―アンドレア・デル・ヴェロッキオ
《花束をもつ婦人》
1475年頃　フィレンツェ、バルジェッロ美術館

図2（左）―ベルナルド・ベンボのインプレーザ
パオロ・マルソの『Bembicae peregrinae（ベンボの遊行）』、f.111v.

《聖ヒエロニムス》オリジナル

復元

《聖ヒエロニムス》

Saint Jerome

レオナルド・ダ・ヴィンチ　一四八〇―八二年頃

103×74cm　ヴァチカン絵画館

着色されることなく放置された作品。聖人が荒野での修行中に、自らを誘惑する妄想に打ち克とうと石で胸を打つ場面。本作に関する当時の記録は一切ないが、《東方三博士（マギ）の礼拝》（34頁）とそっくりな技法と筆遣い、そしてなにより骨や筋肉に対する解剖学的な関心などによって、レオナルド作であることを疑う人はいない。《東方三博士の礼拝》と同様に、ミラノに仕官するにあたって、いずれ再着手する日までのつもりで、フィレンツェの知人宅に預けていった可能性が高い。

その後、聖人の頭部の部分が四角く切断されていたが、ナポレオンの叔父のフェッシュ枢機卿が頭部と残りを発見した。復元にあたっては、同時代のフィレンツェの画家たちによる同主題作品の定番の色彩（同聖人の赤いローブなど）を参考にした。

未彩色の不思議と色彩復元

レオナルドには、下絵がほぼ完成していながら、なぜか未彩色で放置された作品が二点ある。《聖ヒエロニムス》と《東方三博士（マギ）の礼拝》（次頁）である。

どちらも不思議な作品だが、まず《東方三博士の礼拝》の表面には下絵用カルトンから転写する際にできるスポルヴェロ孔の跡がなく、これほどの大画面でもカルトンを用いず、板に直接下絵を描き始めたものと思われる。鉛白と黒（ランプブラック）と褐色（オーカー）による下絵が入念に描かれていて、その濃さは一般的に画家が彩色前に行う下絵の範疇を超えている。すでにこの段階で手の指と掌で表面をこすったらしき跡があり、《ジネヴラ・デ・ベンチ》と同じく、レオナルドがスフマート的な技法を用い始めていることをうかがわせる。

ニスが黄変し、また後世塗られた褐色絵具のため、従来はかなり薄暗くなっていた。二〇一一年から始められた修復によって後世の加筆部分が除去され、二〇一七年三月にあらたな姿で公開された。微細な線がより明瞭となり、以前は見えなかった象などの姿が現れた一方で、やたらと明るくなって荘厳さが失われたとの批判もある。前景において聖母子などの人物像を除く部分は、おそらくレオナルド自身によって濃い茶褐色と黒で色付けされており、その他の部分の明るさと強い対比をなしている。レオナルドによる個性的な制作過程がよくわかる一例である。

一四八一年七月に注文主の修道院との契約が締結されたが、その支払い方法は妙だ。レオナルドには現金ではなく土地が与えられ、それを自分で売却して現金化するか、もしくは三年後に修道院が買い取る。土地を売るのは簡単ではないので、案の条、レオナルドはたちまち日々の回転資金に困り、顔料を買うための代金や薪、ワインなどを前借りした記録が残っている。制作が中断された主たる理由も、おそらくここにある。

一方、もう一枚の《聖ヒエロニムス》には一切の文書記録がないが、その独特の下絵描法は明らかにレオナルドのものだ。足に刺さった棘を抜いてやったために聖人に付き従ったという伝説により、同聖人の絵には必ずライオンが描かれるが、ヨーロッパにもともといない動物をこれほど正確に描けたのは、メディチ家が作っていたとされる私的な動物園のおかげだろう。

《聖ヒエロニムス》の右奥の教会はフィレンツェのサンタ・マリア・ノヴェッラ教会をモデルにしており、《東方三博士の礼拝》の背景の階段は明らかにサン・ミニアート・アル・モンテ教会を参考にしている。色彩のヴァーチャル復元にあたっては、こうした実際の建築物のほかに、リッピによる代替作品や同時代の同主題の作品群、そして岩場や草木、人物などについては他のレオナルド作品に基づいて復元した。

《東方三博士（マギ）の礼拝》オリジナル

復元

《東方三博士（マギ）の礼拝》

Adoration of the Magi

レオナルド・ダ・ヴィンチ　一四八一―八二年頃

243×246cm　フィレンツェ、ウフィツィ美術館

ほぼ正方形をした大型の本作は、幅二〇センチメートルほどの縦長のポプラの板が十枚ほど膠（にかわ）で接合されている。主題は生まれたばかりのイエスのもとに、東方から三人の賢者（マギ）が祝福に訪れている場面である。とても多く描かれてきた主題だが、レオナルドはここでも強烈な個性を発揮している。それまでこれほどに謎めいた人物たちがうごめいている作例もなければ、どの三人が賢者たちなのかさえ判然としない。後方にはヘロデ王による嬰児虐殺らしき光景が広がるが、遠近法で作図した美しい小型下絵がウフィツィ美術館に残っている。

一四八一年七月にサン・ドナート・ア・スコペート修道院との間で結ばれた本作の注文契約があり、それから下絵をここまでしっかりと描き込んだが、支払い方法か主題解釈で揉めて中断されてしまった。同修道院にはその後、ボッティチェッリの弟子のフィリッピーノ・リッピが代替作を納品したが（左頁下図）、構図の類似性などから本作を参考にしたことは確実であり、本プロジェクトでの復元に際しても、リッピ作での色彩を参考にした。

レオナルド・ダ・ヴィンチ
《東方三博士の礼拝》背景のための遠近法習作
1481年頃　紙にシルバーポイント
16.3×29 cm　フィレンツェ、
ウフィツィ美術館版画素描室

フィリッピーノ・リッピ
《東方三博士の礼拝》
1496年　258×243cm
フィレンツェ、ウフィツィ美術館

《受胎告知》

Annunciation

レオナルド・ダ・ヴィンチ、一部ヴェロッキオ工房の同僚か
一四七二―七五年頃　98×217cm
フィレンツェ、ウフィツィ美術館

聖母マリアにイエスが宿ったことを、大天使ガブリエルが告げる場面。処女懐胎にふさわしく、純潔さと処女性の象徴である白百合を天使が手にしている。堂々としたマリアは、取り乱すことなく自らの運命を受け容れているようだ。

レオナルドの実質的なデビュー作で、以前は教会の聖具室にあった。彼が完成させた作品のうち、壁画である《最後の晩餐》を除き、最大のサイズをほこる。言い換えれば、彼は最初の作品を超える大きさのタブ

《受胎告知》
復元

ロー（移動可能な絵画）を、ついぞ完成させることなく一生を終える。しかし、のちに彼自身が最初に理論化する空気遠近法がはやくも用いられているなど、デビュー作においてすでに、レオナルドののちの博物学的関心が表れている。

本作品の保存状態は良好で、かつ二〇〇七年に日本に貸し出された際にも修復されているため、本プロジェクトでは若干の色落ちを補うにとどめた。

デビュー作《受胎告知》にみるレオナルドらしさ

二十歳で画家の組合に親方として登録されたレオナルドに、大きなサイズの絵画の注文が来た。これが《受胎告知》であり、彼の実質的な単独デビュー作となった。まだ駆け出しの頃の作品のため、のちのレオナルド作品にみられるのびやかさはなく、人物の動きもやや硬い印象を与える。

ほぼ同時期に描かれたと考えられている《カーネーションの聖母》(45頁参照)も同様のぎこちなさを感じさせるが、しかし《カーネーションの聖母》の背景に描かれた風景がすでに《ラ・ジョコンダ》(18頁)を予告するような幻想的な山岳風景であるように、《受胎告知》にも、のちにレオナルドの特徴となる要素を、いくつかすでに見ることができる。

草花の描写に対する博物学的な関心、画面に広がりを与える遠近法、大気の色合いの変化までも忠実に再現した観察眼、衣服の襞(図1)にみられる卓越した技巧、画面全体を落ち着いた均衡状態にはめ込む構図センスと画面に漂う不思議な静けさ——。受胎告知の伝統的な構図に則りながらも、随所に彼の挑戦心をよく示した野心的な作品である。

レオナルドならではの特徴は、天使の翼にも表れている。マリアに処女懐胎を告げる大天使ガブリエルの翼は、体に比べて小さく、形も曲がり方もどことなく奇妙だ。しかし、この翼のある種の「生々しさ」こそが重要である。というのも、それまで受胎告知のガブリエルといえば、金色に光り輝く翼か、あるいは虹色の絢爛豪華な翼で描かれることが普通だったからである(図2)。そのほうが、わかりやすく神々しさを感じることができたのだろう。

しかしレオナルドは、天使は空を飛ぶのだから、翼は鳥のそれに似ているはず、と、はやくもその徹底した合理精神を発揮している。彼は、「Non è sempre buono quell che è bello」、つまり「美しいことが必ず善いこととはかぎらない」(『絵画論』)と書いている。これは、およそ画家の言葉ではない。

彼はすべてに理由があり、すべてに必然がある、と考える。すべてのことがらはその存在自体に目的をもち、それにふさわしい姿をしている——。こうした思考回路こそが、レオナルドをして最初の近代人たらしめている。おそらく、この翼は当時のほとんどの人の眼に、醜いものとして映ったに違いない。しかし、天使の翼は美しくあるべきという既成概念をものともせず、彼は自らの考えを発表している。驚くべきは、本作品を描いた時点では、彼はまだ二十歳前後の若者にすぎないという事実である。

図1—レオナルド・ダ・ヴィンチ《衣襞習作》
1470-84年頃　パリ、ルーヴル美術館

図2—ピエトロ・カヴァリーニ《受胎告知》
1291年　ローマ、サンタ・マリア・イン・トラステーヴェレ教会

図1

図2

《ブノワの聖母》*Madonna Benois*

レオナルド・ダ・ヴィンチ
一四七八—七九年　49.5×33cm
サンクトペテルブルグ、エルミタージュ美術館

レオナルドが書き残した紙葉の一枚に、「一四七八年十二月、二点の聖母像にとりかかった」との記述がある（ウフィツィ美術館蔵）。諸説あるが、おそらく本作と《猫の聖母》と呼ばれるスケッチ（大英博物館蔵）が該当すると思われる。

両作品はアーチ状の画面や窓の位置と形状などが一致するため、注文した商家の妻子を工房に呼んでスケッチし、聖母子のモデルとしたと考えられる。もしそうなら、聖なる存在である聖母子を、実在の親子をモデルに描いたことがわかる最初期の例となる。二十世紀初頭の美術史の泰斗ベレンソンは、本作のマリアを「醜い」とけなしているが、実在するごく普通の、「美しくない」女性を描いた点にこそ重要性がある。

本プロジェクトで必要となった復元は、褪色した青色の色調を調整する程度である。

レオナルド・ダ・ヴィンチ
《聖母子像のためのスケッチ》
（通称《猫の聖母》）
1478年頃　ロンドン、大英博物館

《ブノワの聖母》復元

《カーネーションの聖母》 *Madonna of the Carnation*

レオナルド・ダ・ヴィンチ、おそらく部分的にヴェロッキオ工房の同僚も関与
一四七二―七八年頃か　62×47.5cm
ミュンヘン、アルテ・ピナコテーク

聖母子は工房に注文される小品のなかで最も需要があった主題である。本作には、頭部や花瓶のパースに狂いがみられることもあって、一九〇〇年頃には師匠のヴェロッキオや弟弟子のクレディなどの名が作者として挙げられていた。まだ硬質な人物描写などは《受胎告知》の様式に近く、ほぼ同時期の作品と考えられる。いずれにせよ、同僚たちと一緒に制作するのは当時あたりまえの光景であり、本作にも複数名の関与をみるべきだろう。

ジョルジョ・ヴァザーリの『美術家列伝』には、教皇クレメンス七世（メディチ家出身）がレオナルドによる聖母子像を所有していたと書かれている。本作がそれに該当すると考えられているのは、そこに「花が何本か差された瓶」と記されているためである。

絵画表面全体にこまかな剥落と褪色がみられるため、本プロジェクトではそれらの箇所を復元した。

《カーネーションの聖母》復元

《岩窟の聖母》 *The Virgin of the Rocks (1st version)*

（第一ヴァージョン、パリ版）
レオナルド・ダ・ヴィンチ主導、デ・プレディス兄弟と共作
一四八三－八六年頃　199×122cm　パリ、ルーブル美術館

聖母マリアの子宮は、アダムとエヴァ（イヴ）がおかした原罪から免れているとする「無原罪懐胎」を主題としている。一四八三年四月に注文主のミラノの無原罪懐胎同信会とかわした契約書があるが、同信会側が伝統的な図柄をことこまかく指示しているにもかかわらず、レオナルドには従う気はまったくなさそうだ。後にも先にも、洞窟のなかで洗礼者ヨハネといる聖母子の姿で描いた例はほかにない。加えて支払い価格の問題もあって、およそ二十年にわたる裁判沙汰になった。

ロンドンのナショナル・ギャラリーにある《岩窟の聖母》（49頁）と、どちらが先に描かれたかという点については諸説ある。様式的にみて、パリ版のほうがミラノ時代のレオナルド個人様式に忠実であることから、こちらを第一ヴァージョンとする意見が大勢を占める。そしてレオナルドらが「ほかにもう購入希望者がいる」と文書でほのめかしていた購入者（イル・モーロの可能性が高い）が実際に買ったのだろう。

本プロジェクトでは、色彩の褪色と若干の剥落を補っている。

《岩窟の聖母》(パリ版) 復元

《岩窟の聖母》 *The Virgin of the Rocks (2st version)*
（第二ヴァージョン、ロンドン版）
レオナルド・ダ・ヴィンチ、アンブロージョ・デ・プレディス共作
一五〇八年に制作完了か　189.5×120cm　ロンドン、ナショナル・ギャラリー

同信会（46頁）との契約書類では、制作はミラノのデ・プレディス兄弟とレオナルドの三者となっていた（そのうちレオナルドだけが親方に指定されていた）。その後の長い裁判の間に、おそらく最初の板絵（パリ版）は他者にすでに売却済みで、結審後にあらためて本作が描かれたと考えられている（諸説ある）。その時レオナルドはすでにミラノに定住しておらず、通いながらアンブロージョと共同で制作したと思われる。

以上が通説ではあるのだが、近年の科学的調査により、本作品の顔料層の下には異なる構図の聖母子像と天使の下絵があることが赤外線撮影により判明し、またスポルヴェロ転写法（原寸大下絵に孔をあけて転写する手法）による孔も発見できなかった。このことは、パリ版が売却されて持ち出される際に、それを参照しつつ描かれた可能性が高いことを示唆している。金属光沢のある独特の表面処理は、レオナルドの弟子のひとりフランチェスコ・ナポレターノのそれに近い。そして結審時に「完成していない箇所はレオナルドが完成させること」とある通り、レオナルドが最後に手を加えたのだろう。

本作品は修復直後のため、本プロジェクトでは画面両端の顔料剥落部分のみを補った。

《岩窟の聖母》（ロンドン版） 復元

《白貂を抱く貴婦人》オリジナル

復元

《ラ・ベル・フェロニエール》オリジナル

復元

《白貂を抱く貴婦人》

Lady with an Ermine

レオナルド・ダ・ヴィンチ　一四九〇年頃　55×40.5cm

クラクフ、チャルトルスキ美術館

レオナルドのミラノ宮廷時代の君主であるルドヴィコ・スフォルツァ（イル・モーロ）の愛人だったチェチリア・ガッレラーニを描いたもの。のちにマントヴァの女君主イザベッラ・デステが、本作を借りたいとチェチリアに依頼した手紙とその礼状が残っている。数年後、マントヴァに滞在したレオナルドに、イザベッラは自らの肖像画を注文する。レオナルドはデッサンまで描くが（下図）、彩色画の依頼は無視し続けた。

チェチリアが抱いている白貂のギリシア語「ガレー」は、ガッレラーニの語呂合わせともなっている。

復元にあたっては、板の収縮によってできた表面のひびを直し、画面左上隅にある後世の銘文――《ラ・ベル・フェロニエール》と混同されていた時代に誤って書かれていた――を消去した。

レオナルド・ダ・ヴィンチ

《イザベッラ・デステの横顔のデッサン》

1500年　61×46.5cm

パリ、ルーヴル美術館

《ラ・ベル・フェロニエール》

La Belle Ferronnière

レオナルド・ダ・ヴィンチ　一四九〇―九五年　63×45cm

パリ、ルーブル美術館

やや斜め前を向く「四分の三正面観」、繊細なグラデーションによる立体描写、口もとのかすかな笑み、ドレスの縁の細かな刺繍。本作は何から何まで、のちの《ラ・ジョコンダ》の雛型と言ってよい。《白貂を抱く貴婦人》と同じ部材を使ったものと思われるが、レオナルド独自のスフマート技法は本作のほうがより進んだ段階を示している。

モデルには諸説あるが、おそらくは《白貂》と同じく、君主イル・モーロの愛人のひとりと思われる。額の飾り紐を指す「フェロニエール」は、レオナルド晩年のパトロンであるフランス王フランソワ一世の愛人フェロン夫人の名に由来する。

技法的に最も近い《ラ・ジョコンダ》と同様に、ニスが黄変し、細かく複雑なひび割れが表面（とくにスフマート技法が多用された顔部分）をびっしりと覆っている。そのため本プロジェクトでは、ニスの黄変を除去し、表面のひび割れを取り除いた。

復元（前頁に拡大部分）

《最後の晩餐》オリジナル

《最後の晩餐》

The Last Supper

レオナルド・ダ・ヴィンチ　一四九五―九八年　460×880cm

ミラノ、サンタ・マリア・デッレ・グラーツィエ教会修道院

ミラノのサンタ・マリア・デッレ・グラーツィエ教会修道院の食堂壁面に描かれた本作は、レオナルド唯一の現存壁画にして最大のサイズをほこる。ただ、当時子供でのちに作家となるマッテオ・バンデッロ（修道院長の甥にあたる）の証言にあるように、長考しつつ時おり筆を入れるレオナルドの制作スタイルは、漆喰が乾く前に描かなければならないフレスコ技法には向いておらず、そのため通常は板絵に用いるテンペラと油彩による混合技法で描かれた。

壁画に不適な技法の選択は、制作直後から顔料層の剥離を引き起こし、加えて裏にある厨房の湿気によるカビによって何世紀も真っ黒に覆われていた。ナポレオンによる占領時代には厩舎として用いられ、兵士たちは聖人の目に槍を当てて遊んだ。おまけに第二次世界大戦ではわずか数メートル横にアメリカ軍の爆弾が落ちている。残っていること自体が奇跡とも呼べる本作は、一九九九年、二十年にわたる修復を終えたが、壁画は今でも痛々しい姿をさらしている。

本プロジェクトでは、剥離部分を周囲の色で補ったが、キリストの足先などの完全に消失した部分の細部描写にあたっては、レオナルドの弟子たちが残した模写作品を参考にした。また、未修理のまま残された天井格子も、本来の形状を割り出して（63頁参照）復元した。

郵便はがき

恐縮ですが
切手をお貼り
ください

170-0011

東京都豊島区池袋本町 3－31－15

(株)東京美術　出版事業部　行

毎月 10 名様に抽選で
東京美術の本をプレゼント

この度は、弊社の本をお買上げいただきましてありがとうございます。今後の出版物の
参考資料とさせていただきますので、裏面にご記入の上、ご返送願い上げます。
なお、下記からご希望の本を一冊選び、○でかこんでください。当選者の発表は、発
をもってかえさせていただきます。

もっと知りたい歌川広重
もっと知りたい伊藤若冲
もっと知りたいムンク
もっと知りたいベラスケス
もっと知りたい東大寺の歴史

すぐわかる日本の美術［改訂版］
すぐわかる西洋の美術
すぐわかる画家別 近代日本絵画の見かた
すぐわかる画家別 水彩画の見かた
すぐわかる産地別やきものの見わけ方［改訂版］

てのひら手帖【図解】日本の絵画
てのひら手帖【図解】日本の仏像
演目別 歌舞伎の衣裳 鑑賞入門
吉田博画文集
ブリューゲルとネーデルラント絵画の変革者
オットー・ワーグナー建築作品集
ミュシャ スラヴ作品集
カール・ラーション
フィンランド・デザインの原点
かわいい琳派
かわいいジャポニスム
かわいいナビ派

お買上げの本のタイトル（必ずご記入ください）

フリガナ
お名前　　　　　　　　　　　　　　　　年齢　　　歳（男・女）

ご職業

ご住所
〒　　　　　　　　（TEL　　　　　　　　）

-mail

●この本をどこでお買上げになりましたか？

書店／　　　　　　　　美術館・博物館

その他（　　　　　　　　　　　　　　）

●最近購入された美術書をお教え下さい。

●今後どのような書籍が欲しいですか？　弊社へのメッセージ等もお書き願います。

●記載していただいたご住所・メールアドレスに、今後、新刊情報などのご案内を差し上げてよろしいですか？　□はい　□いいえ

お預かりした個人情報は新刊案内や当選本の送呈に利用させていただきます。原則として、ご本人の承諾なしに、上記目的以外に個人情報を利用または第三者に提供する事はいたしません。ただし、弊社は個人情報を取扱う業務の一部または全てを外部委託することがあります。なお、上記の記入欄には必ずしも全て答えて頂く必要はありませんが、「お名前」と「住所」は新刊案内や当選本の送呈に必要なので記入漏れがある場合、送呈することが出来ません。

個人情報管理責任者：弊社個人情報保護管理者

個人情報の取扱に関するお問い合わせ及び情報の修正、削除等は下記までご連絡ください。

東京美術出版事業部　電話 03-5391-9031　受付時間：午前 10 時～午後 5 時まで（土日、祝日を除く）

※復元画像をもとに作成

ジャンピエトリーノに帰属、
レオナルド・ダ・ヴィンチに基づく《最後の晩餐》模写
1515年頃　302×785cm　ロンドン、王立美術アカデミー
（オックスフォード、マグダレン・カレッジに寄託展示）

計測のための分析線を引いたところ

仮想空間のCG

遠近法による仮想空間

晩餐図全体の空間は、遠近法が支配している。すべての線が、イエスの顔にあたる中央消失点に向かって集束し、空間全体が収斂していく。観る者の視線は自然とイエスの顔へと導かれる。

レオナルドは制作にあたり、画面中央に釘をうち、そこから紐をひっぱって集束線を引いている。実際に、イエスのこめかみ部分には現在も釘跡が残っている。遠近法による完全な左右均衡は空間に秩序を与え、個々の使徒たちの激しい身振りにもかかわらず、画面全体を静かに落ち着かせることに成功している。

晩餐図はしかし観る者の眼の高さよりも上にあり、理論的には食卓の上の面が見えるはずがないのだが、パンやワインはこの主題における重要な要素であるため、おそらくレオナルドは、作品を観る者の身長や眼の高さを無視することを選んだのだろう（この場合、視点位置はイエスの頭部と同じ高さに来る）。加速遠近法（アナモルフォーズ、歪曲画）を用いたとする意見もあるが、食卓の上の面が見えることの有効な説明とは言い難い。

初めて明らかになった部屋の正確な形とサイズ

画面内に遠近法で描かれた正方形がひとつでも見つかれば、そこに描かれている仮想空間の形とサイズを算出することが可能だ。天井面は当時よく見られた正方形格子柄なので、そこから仮想空間の形状とサイズを求めると、奥行きが幅の倍ほどもある奇妙に細長い部屋になる。

ところで算出の根拠となる天井格子だが、長年かけられた修復作業後の現在でも、実は天井格子は右端列のごく一部が修復されたにすぎない（58頁の現状写真で、そこだけ色が異なることがおわかりだろうか）。

ペドレッティ教授らによる研究でこれまで知られていた部屋の形とサイズは、修復前の格子、つまりレオナルドではない後世の加筆者による格子をもとに算出されていた。そこで本プロジェクトでは、修復されたごく一部の格子をもとに、正しい部屋の形をあらたに算出した。幅一〇・三メートル、奥行き二〇・四メートル、高さ六・九四メートル。これがもともとレオナルドがデザインした仮想空間のサイズである。ちなみに人物たちの身長は約3メートルもある。

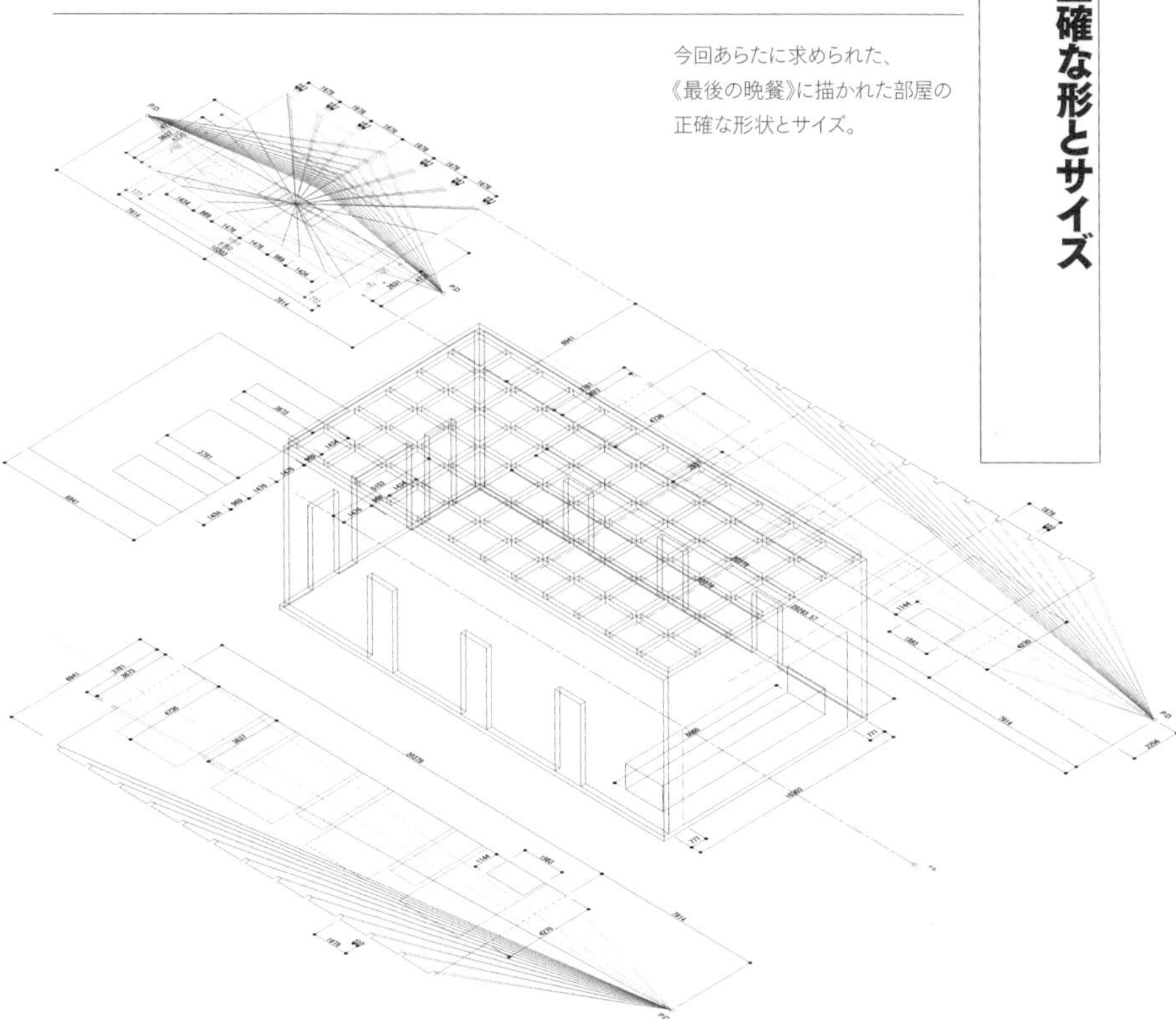

今回あらたに求められた、《最後の晩餐》に描かれた部屋の正確な形状とサイズ。

《糸巻きの聖母》（ランズダウン版）オリジナル

復元

《糸巻きの聖母》

Madonna of the Yarnwinder (The Lansdowne Madonna)

（ランズダウン版）

レオナルド・ダ・ヴィンチと工房

一五〇一—〇六年頃　50.2×36.4cm　個人蔵

レオナルドに自らの肖像画を描かせたいイザベッラ・デステ（54頁《白貂を抱く貴婦人》の解説を参照）は、催促のため画家の工房に何度も使者を送っている。その都度断られるのだが、使者の報告書簡によって、レオナルドの制作スタイルとその時彼が何をしていたかがわかる。

それによると彼はフランス王の秘書官のために、糸巻き棒を手にしたイエスとマリアの絵を手がけている。しかし一方で、レオナルドは数学などの研究に没頭していて、一枚の絵をすべてひとりで描く意欲を失っており、弟子たちに描かせている絵に時おり手を入れる程度だ、とも述べている。

数十点の派生作品が残っている《糸巻きの聖母》系統の絵画群は、すべて微妙に異なっているが、それらの違いをたどっていくと、ランズダウン版とバクルー版と呼ばれる二枚の作品の「下絵」に行き着く。不思議なことに、大きく異なる両作品は、彩色層の下に隠れていて赤外線撮影でのみ確かめられる「下絵」では全く同じなのである。ということは、この「下絵」こそがレオナルドの当初の構想だったことを意味する。

そこで本プロジェクトでは、この「下絵」と、それを採用したことが確実な数点の派生作品をもとに、背景部分を当初の構想によって復元した。これも世界初の試みである。

《糸巻きの聖母》の復元

数十点の作例が知られる《糸巻きの聖母》は、レオナルド派特有の図像のひとつである。それらは共通する特徴をもとにいくつかのグループに分けられる。そのうち主要二作品（ランズダウン版とバクルー版）が、以前からレオナルド的特徴を最もよく備えるとされてきた。そして蛍光X線撮影や赤外線撮影、非破壊素材検査などによる最近の科学的調査によって、ランズダウン版の技法が最もレオナルドのそれに忠実であることが確かめられた。

主要二作品は特に背景において著しく描写を異にするが、奇妙なことに赤外線撮影によって見ることのできる下絵では、左奥にいる三人の人物といった共通するモチーフの存在が確かめられる。そしてさらに不思議なことに、シンシナティ版などの「長髪のマリア」グループの作例の多くに、三人の人物が描かれている。つまりこれらは、主要二作品の背景が変更される前の下絵段階を元に描かれた派生作品であることを意味する。主要二作品の背景が双方で激しく異なることを考えれば、下絵に描かれたモチーフだけがレオナルドによると断定可能な唯一のものである。

さらに当時の証言者の記述にある「糸巻きを入れた籠」もまた、赤外線によって主要二作品のどちらの下絵でも確かめられる。

そこで本プロジェクトでは、聖母子は修復後のランズダウン版をそのまま用い、背景部分はレオナルドの下絵により忠実なシンシナティ版をベースに、籠などを復元することとした。

《糸巻きの聖母》（シンシナティ版）
62.2×48.6cm　個人蔵
（シンシナティ美術館で寄託展示）

《糸巻きの聖母》（バクルー版）
48.3×36.9cm　ドラムリング城、
バクルー&クイーンズベリー公爵蔵

ランズダウン版赤外線写真

バクルー版赤外線写真

《聖アンナと聖母子》オリジナル

復元

《聖アンナと聖母子》 *The Virgin and Child with St. Anna*

レオナルド・ダ・ヴィンチ　一五〇二―一六年　168.5×130cm
パリ、ルーブル美術館

レオナルドの両親が正式な結婚をしなかったため、婚外子となったレオナルドは授乳期間後に実母と離された。この記憶があるせいか、レオナルドが描く女性像には、ルネサンス美術としては例外的に官能性よりも母性が目立つ（彼が同性愛者であることもこの傾向の理由のひとつだろう）。ここでは、幼児イエスを抱きかかえようとする母マリアを、マリアの母アンナがあたたかく見守っている。

本作品そのものではないが、レオナルドがフィレンツェに再び戻ってきたとき、これら三世代母子を描いた大型のカルトン（転写用下絵の紙）を公開して、長い行列ができるほどの評判をよんだ。

本作品は修復を終えた状態にあり、岩場や青衣などの未完部分を除けば、往年の鮮やかな色彩を取り戻している。ただ、作品は長年にわたって両端を木枠で挟まれた状態にあったため、その部分だけが変色し黒ずんでいる。そのため本プロジェクトでは、画面の左右両端部分のヴァーチャル修復を行った。

《サルヴァトール・ムンディ》
Salvator Mundi
レオナルド・ダ・ヴィンチと工房　一五〇七―〇八年頃か　65.6×45.1cm
個人蔵（アブダビ、ルーヴル・アブダビ美術館に寄託展示予定）

二〇一七年十月、ニューヨークのクリスティーズで開かれたオークションで、史上最高値となる五〇八億円（手数料込み）で落札されて話題となった作品。高騰した理由は、レオナルドの他の真筆作品がすべて公的な機関の所蔵であり、もしこれが真筆なら唯一の個人所有が可能な着彩絵画となるためである。

赤外線撮影では手直し（ペンティメント）や掌紋などが見つかっている。《糸巻きの聖母》（66頁）で解説したように、当時はレオナルドが絵画制作をほぼ弟子にやらせている時期にあたる。作者が誰かという帰属問題には諸説あるが、少なくとも下絵と、右手と毛髪の一部にレオナルドの直接的な関与を認めることができる。

サルヴァトール・ムンディとは「世界の救い主＝救世主キリスト」の意味。来歴や模写などの状況証拠から、ミラノを占領したフランス王ルイ十二世の妻アン・ド・ブルターニュの注文と思われる。

《サルヴァトール・ムンディ》オリジナル（最新の修復を終えた状態）

《サルヴァトール・ムンディ》はレオナルドの作品か

《サルヴァトール・ムンディ》は前述のように、オークション史上最高値で落札され世界的なニュースになったので、あらたに発見された作品と誤解されたかもしれないが、その存在自体は古くから知られていた。一六五〇年には、ホラーという版画家が複製版画(図1)を制作しており、その左下の余白には「レオナルド・ダ・ヴィンチ画(Leonardus da Vinci pinxit)」と書かれている。つまりその頃のイギリスに、レオナルドが描いたこのような絵があったことがわかる。

このことを頼りに、それ以前を探っていくと、ミラノを占領していたフランス王ルイ十二世の妻アン・ド・ブルターニュに行き着く。おそらく彼女がレオナルドに依頼したキリスト像が、その後、アンリ四世の娘でイギリス王家に嫁いだヘンリエッタ・マリアとともにイギリスに渡った可能性が考えられる。というのもヘンリエッタが、複製版画を制作したホラーのパトロンでもあるからだ。

その後の行方も細かくわかっているが、しかしいつの間にか、作品の評価は下がり、レオナルドの弟子が描いたものとされた。それもそのはずで、一九一三年に撮影された写真(図2)では、現在の作品とは似ても似つかない、ボーッとした顔のキリストが写っている。おまけに、薄いクルミの板は激しく湾曲し、割れて段差ができた箇所には、信じられないことに絵の表面がカンナで削られていた。

評価が一変するのは、修復作業を経てからである(図3)。その過程で、赤外線撮影などによって、描き直しや指紋、掌紋の存在が確かめられた。それらはレオナルド本人の関与を強く示す証拠である。しかし、右手や髪の毛の一部を除き、レオナルド特有の、十何層も薄く油を塗り重ねる技法は十分とはいえない。そのため、当時の証言にあるように、レオナルド自身による下絵に基づき、工房の弟子にほとんどを描かせ、時おり手を入れたり修正したりしながら作られたとみてよさそうだ。

図1

図2

図3

図1―ヴェンツェル・ホラーによる、
レオナルド・ダ・ヴィンチ《サルヴァトール・ムンディ》の模写
版画　1650年　26.4 x 19.0 cm　ウィンザー城、王立図書館

図2―1913年のクック・カタログに掲載された白黒写真

図3―後世の加筆部分を除去した直後の状態
白い部分は、顔料が削り取られていた箇所。

《洗礼者ヨハネ》オリジナル

復元

《洗礼者ヨハネ》

St. John the Baptist

レオナルド・ダ・ヴィンチ　一五一三—一六年頃　69×57cm

パリ、ルーブル美術館

謎めいた笑みをうかべる不思議な人物。レオナルドの遺作にあたり、《ラ・ジョコンダ》と《聖アンナと聖母子》とともに、最期までレオナルドのアトリエにあった作品。契約書などはないが、ヨハネ（イタリア読みでジョヴァンニ）と同じ名をもつ教皇レオ十世（ジョヴァンニ・デ・メディチ）の注文だった可能性がある。スフマート技法が全面的に用いられる一方、解剖学的に正確な人体描写への興味を失っていたことがわかる。

中性的だと感じられたら、その直感は正しく、通常は男性的な姿で描かれる洗礼者ヨハネを、レオナルドは両性具有体として描いている。その背景には、メディチ家主宰の文化サークルで教材となっていた錬金術書やネオ・プラトニズムの思想がある。簡潔に言えば、プラトンが語る完全体としての両性具有体を、レオナルドも天使的存在として理想視していたことによる。

本作品は黄変したニスに覆われ、顔料にも欠落が多いのだが、レオナルドの遺作とあって欠落は後世のものではなく当時からこの状態にあった可能性が高いため、本プロジェクトではニスの色調調整と若干の表面補修をするにとどめた。

《洗礼者ヨハネ》は男か女か

レオナルドの現存作品のうち、最後に描き始められた作品が《洗礼者ヨハネ》である。非常に奇妙な作品で、通常ならば男性的な姿で描かれる洗礼者ヨハネなのに、闇のなかからミステリアスな笑みをうかべながら姿を現すこの洗礼者ヨハネには髭も無く、豊かな巻き毛の長髪をたらしている。体つきも丸みを帯びていて、十字架の杖と毛皮こそ洗礼者ヨハネのアトリビュートではあるものの、その姿は中性的で妖艶であり、従来の定型表現からは大きく逸脱している。

図1

作品にしばしば自らの思想を組み込んできたレオナルドのことなので、遺作となったこの作品が、これほど謎めいたものになったのには何か訳があるに違いない。そしてその理由は、彼のデッサン（図1）をみれば少し明らかになる。そこには男性と女性の身体的特徴が両方とも描かれており、工房の弟子がいたずら書きを加えたのかもしれないが、レオナルドもそのままにしておいたと思われる。

図2

レオナルドは晩年フランス王フランソワ一世の宮廷で過ごしたが、そこにはほかにもイタリアから芸術家が招かれていて、レオナルドの死後も彼の影響は受け継がれていた。そのなかのひとりが、フランソワ一世をモデルにした一風変わった絵を描いている。そこでフランス王は、ヘルメスとアテナという、男女神それぞれの特徴をもつ姿で描かれている（図2）。

その背景には、男女が結合した両性具有体こそ完全体であり、人類が究極に目指すべきは両性具有であるとする、古代ギリシャに由来する思想がある。この思想はルネサンス時代に復活しており、レオナルドも男女合一体と呼べるスケッチをいくつか残している（図3）。結局、レオナルドは遺作として、最終的にたどり着いた完全なる人類のイメージを描こうとしたのだろう。それが、洗礼者ヨハネの謎めいた姿の理由だったのだ。

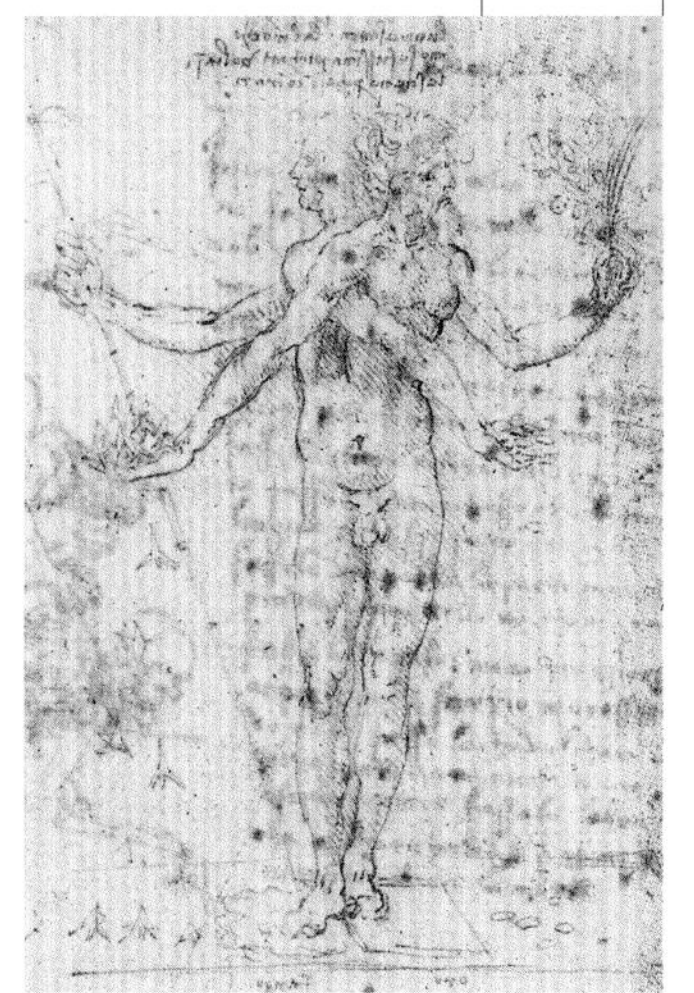

図3

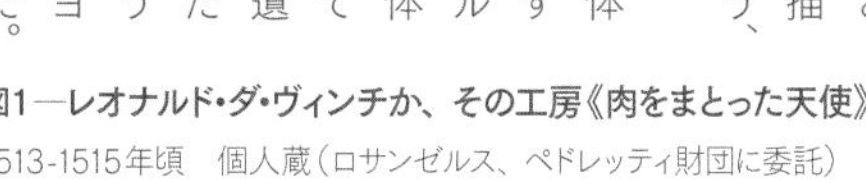

図1—レオナルド・ダ・ヴィンチか、その工房《肉をまとった天使》

1513-1515年頃　個人蔵（ロサンゼルス、ペドレッティ財団に委託）

図2—ニッコロ・デッラバーテ、あるいはその工房

《フランソワ1世の神話的肖像画》

1552-1572年の間　パリ、国立図書館

図3—レオナルド・ダ・ヴィンチ《快と不快の寓意》

オックスフォード、クライストチャーチ

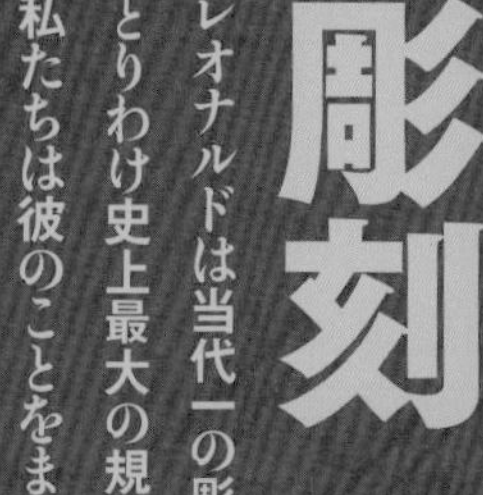

彫刻

レオナルドは当代一の彫刻家ヴェロッキオの弟子とあって、彫刻の才も発揮した。
とりわけ史上最大の規模となった騎馬像計画がもし完成していれば、
私たちは彼のことをまず彫刻家として認識していたかもしれない。

レオナルド・ダ・ヴィンチ

《スフォルツァ騎馬像》初期構想スケッチ

1485-90年頃　ウィンザー城、王立図書館、RL12358r.

《スフォルツァ騎馬像》縮小復元ブロンズ像（次頁）鋳造のための石膏段階
レオナルド・ダ・ヴィンチによる初期構想スケッチ（右図）に基づく
120×50×107cm

《スフォルツァ騎馬像》

縮小復元ブロンズ像

レオナルド・ダ・ヴィンチによる初期構想スケッチ（80頁）に基づく

120×50×107cm

《スフォルツァ騎馬像》

Equestrian Monument of Francesco Sforza

《スフォルツァ騎馬像》は、レオナルドがミラノで取り組んだ史上最大の騎馬像計画である。君主イル・モーロの父フランチェスコ・スフォルツァを、古代ローマの凱旋将軍よろしくブロンズ（青銅）製の巨大騎馬像にする計画だった。レオナルドと君主の野心は一致し、計画は徐々に肥大化。師匠のヴェロッキオによるコッレオーニ騎馬像（ヴェネツィア）をしのぐ規模になり、国家間の結婚式典の場で原寸大の塑像模型が大々的に公開された。おそらくこの瞬間が、レオナルドの生涯の絶頂時である。

しかし、鋳造の一歩手前でフランス軍がミラノに侵入。集められていた七〇トン以上もの青銅は、すぐさま大砲の製造用にまわされた。結局、鋳造される機会は二度となく、模型も破壊されてしまった。

最初、レオナルドは両前脚をあげていないなくポーズを考えた。しかし重量を支えるのは困難とみて、三脚が接地する伝統的なポーズで鋳造の準備をしている。しかし晩年、フランスから《トリヴルツィオ騎

三脚接地タイプの復元例
レオナルド・ダ・ヴィンチに基づく
《スフォルツァ騎馬像》再現ブロンズ像
Nina Akemu 2001年 ヴィンチ、リベルタ広場

三脚接地タイプの復元例
レオナルド・ダ・ヴィンチに基づく
《スフォルツァ騎馬像》再現 FRP 像
田中英道監修 1989年 名古屋国際会議場

馬像》の依頼を受けた時、レオナルドはふたたび両前脚をあげるポーズに挑戦している。こちらもやはり計画倒れで終わったが、彼がやりたかったのは、それまで誰もやったことがないこの困難なポーズだったのだ。

そこで本プロジェクトでは、この野心的なポーズに挑戦した。三脚接地ポーズはこれまで数度復元されたことがあるが（うち一体が名古屋国際会議場にある）、両前脚をあげるポーズは世界初の試みとなった。

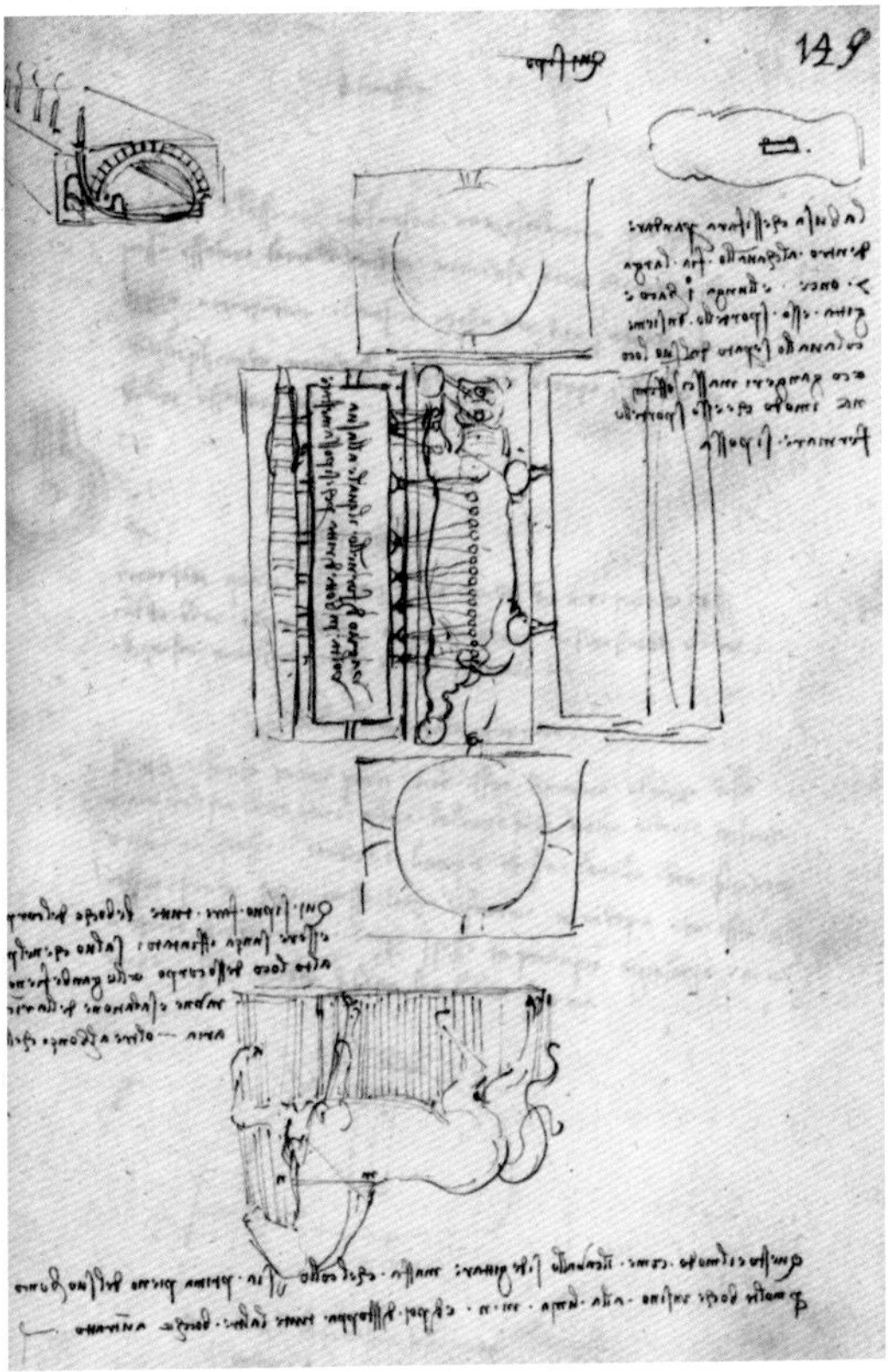

レオナルド・ダ・ヴィンチ
《スフォルツァ騎馬像》
鋳造段階スケッチ
『マドリッド手稿 II』、f.149r.

レオナルド・ダ・ヴィンチ
《トリヴルツィオ騎馬像》のための準備スケッチ
1508年頃　ウィンザー城、王立図書館、RL12365.

建築

ミラノ大聖堂の改修工事などに携わったレオナルドは、当時建築家としても知られていた。彼の設計案は集中式プランを主としたモニュメンタルなもので、とりわけ大墳墓計画はその壮大さで古代の巨石建造物に匹敵する。

《大墳墓計画》
Etruscan Mausoleum

レオナルドには、対ピサ戦で考えた水攻めや、ミラノの都市二階層化計画、大運河計画など大規模な構想がいくつかある。なかでもこの大墳墓計画は圧倒的な壮大さを誇っている。中層には六つの墓室があり、入口のスケッチには中に並べられた石棺も描かれている。頂部にはブラマンテ風の円型神殿があり、そこまでふもとから二本の長い階段が続いている。

よく「エトルリア風」と紹介されるが、実際にはかなり独自性の強い「レオナルド風」建築である。おそらくそのベースには、ビザンチンを含む東地中海地域の建築知識がある。手稿には、書きかけながら東方を旅する空想小説もあり、オスマントルコに仕官しようと考えていたきらいもあるため、大墳墓もそうした東方への憧憬が反映されているのかもしれない。

本プロジェクトではまず、レオナルドのスケッチから3D設計図におこし、それをCGアニメーションにするのと並行して、立体模型を制作した。後者は現実空間のなかで立体的に把握するためであり、前者はふさわしい大きさで実際の景色のなかにあればどのように見えるかを視覚的に把握するためである。これらの復元は世界初の試みとなった。

左頁上・下右―《**大墳墓計画**》3DCG

左頁下左―レオナルド・ダ・ヴィンチに帰属
《大墳墓計画》のスケッチ
パリ、ルーヴル美術館

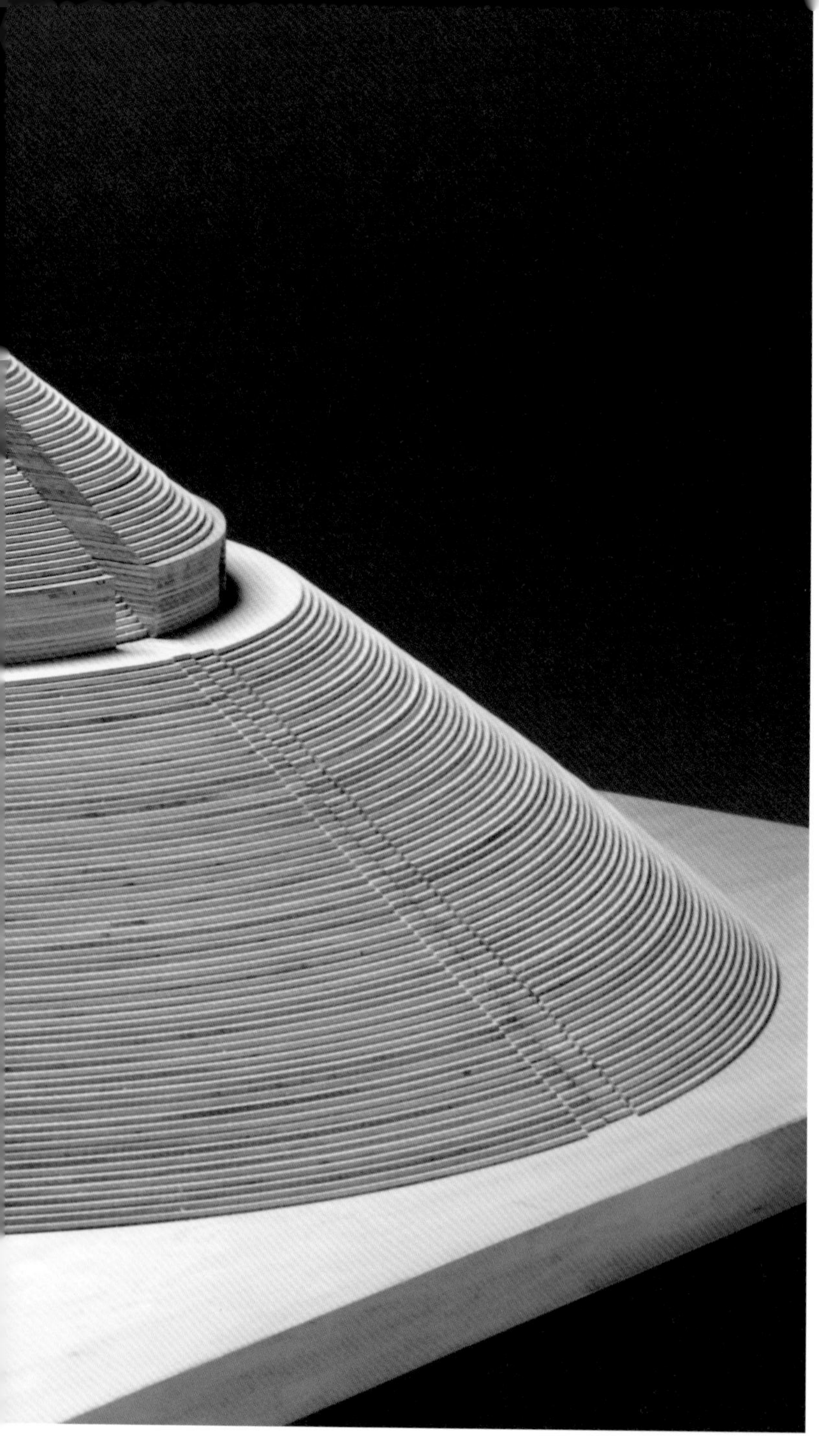

《大墳墓計画》模型
レオナルド・ダ・ヴィンチ(帰属)によるスケッチに基づく
150×150×65.5cm

《集中式聖堂》
Central-Plan Church

レオナルドは、「ミクロコスモス＝マクロコスモス」、すなわち「人体＝機械＝建築＝宇宙」なる相似関係を考えていた。彼が建築家としてミラノ大聖堂造営局に送った意見書が残っているが、そこには彼の思想に基づいて、「病気にかかった大聖堂」には「建築の医師」が必要だと書かれている。一棟すべてレオナルドの設計によると断定できる建物は残念ながら現存しないが、シャンボール城の二重螺旋階段などに彼の設計が活かされたと考えられている。

レオナルドの手稿には、集中式（求心型）プランをもつ聖堂のスケッチが多く登場する。ルネサンス以前の中世建築と異なり、古代的・ビザンチン的な集中式を採り入れることで、レオナルドは聖堂により明確なモニュメント性を加えている。

本スケッチにおけるレオナルドの設計は独特で、大クーポラ（ドーム）のドラム（胴）部分にある採光用のバラ窓のすぐ手前に小型の採光クーポラが配置され、遮光してしまうなどの欠点もある。

本プロジェクトでは、レオナルドのスケッチからおこした3D設計図をもとに、視覚的把握のためのCGアニメーションと、立体的把握のための立体模型を制作した。ファサード（正面）の扉口などから推測できる聖堂のサイズは大きく、ヴァチカンのサン・ピエトロ大聖堂などと匹敵する規模となる。

左頁・上―本プロジェクトで縮小実現化の対象とした聖堂スケッチ
『パリ手稿B補遺、アシュバーナム手稿』、f.95r.(Ashb.f.5r.)
左頁・下―《集中式聖堂》3DCG

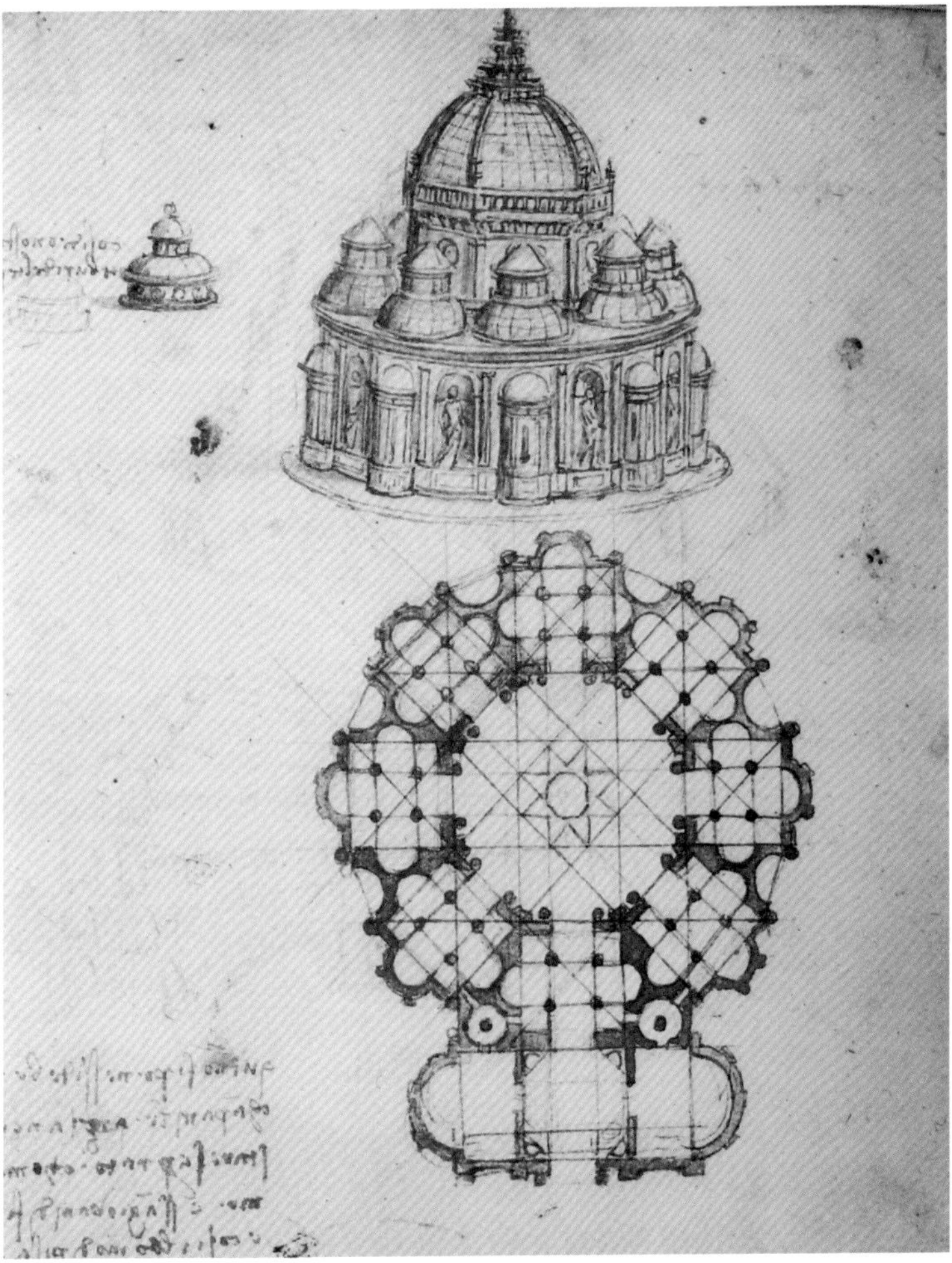

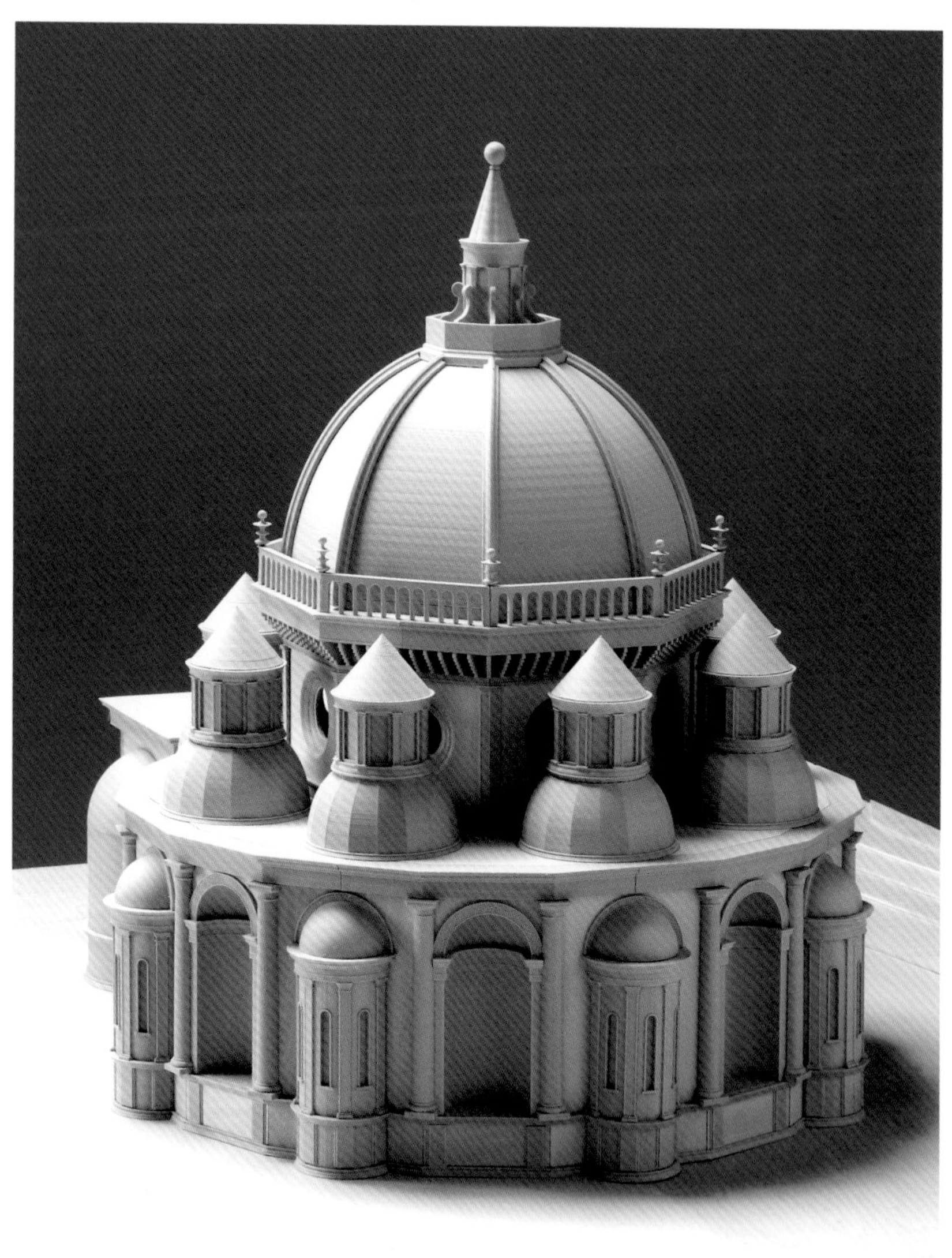

《集中式聖堂》模型
レオナルド・ダ・ヴィンチによるスケッチ（93頁）に基づく
150×150×80.5cm

実現しなかった構想

レオナルドはミラノ宮廷時代に建築家としての活動記録がある。代表的なものは、ミラノ大聖堂の交差部屋根の設計であり、一四八七年八月から翌年一月にかけて報酬が支払われた記録も残っている。

それに先立つフィレンツェ修業時代には、所属していたヴェロッキオ工房がフィレンツェ大聖堂クーポラ頂部の銅球設置を請け負っていたりしたので、建築や工学に関する経験もある程度積めていたはずだ。

ミラノ宮廷の同僚には、盛期ルネサンスの代表的な建築家であるドナート・ブラマンテもいたし、サン・レオの要塞などでも知られるフランチェスコ・ディ・ジョルジョ・マルティーニの滞在中には直接教えを乞うなどもしている。後者からは軍事面でも多大な影響を受けており、一方、前者は建築全般に関する師だったと思われる。ブラマンテは古典復興の実践者として、古代の円形神殿形式も復活させているので、レオナルドが中世のゴシックやロマネスクの典型的な様式ではなく、それら以前の様式である集中式プランを中心に据えたのも当然の成り行きといえる。

こうして彼は集中式プランを持つ教会のスケッチを何度か描いており、本展でもそのうちのひとつを復元対象とした。やっかいなのはレオナルドの平面図と外観図に矛盾がある点だが、レオナルドは理詰めの設計士というよりはむしろ建築意匠のデザイナーとしての側面が強いので、ここでは主として外観図をベースに、平面図とのギャップを最小化できる復元設計を目指した。

一方、彼の建築のなかでも、大墳墓計画は異彩を放っている。ピラミッドを彷彿とさせるその壮大さと古代性。墳墓という用途自体、同時代の建築には例がない。エトルリア風の墳墓とみる見方もあるが、実のところ、エトルリアの墳墓とも大きく様式を異にする。

あまりに異質なため、また手稿の一紙葉ではなくいわゆる独立素描の一例であるせいもあって、レオナルドへの帰属自体に疑念を呈する意見もある。そのことを考慮してもなお、この大墳墓計画の壮大さは、巨大な騎馬像や飛翔実験として表出したレオナルドの飽くなき野心と挑戦心を映し出しているようには見えないだろうか。

機械

ミラノ宮廷に軍事技師として雇われたので、レオナルドは慌てて兵器の開発に取り組んだようだ。

しかし彼は持ち前の熱心さと謙虚さで急速に専門性を高めていく。

そしてその探求はあらゆる工学分野へと広がっていった。

太鼓自動演奏車

Automatic Drum Machine

人力か馬で車を曳くと、オルゴールと似た仕組みで大太鼓が連打される。演奏用にも転用可能だが、主として戦場で敵の馬を驚かせて騎馬隊を無力化するためのもの。

『アトランティコ手稿』、f.306va.

投石器

Catapult

古代から存在する攻城用投石器を独自に発展させたもの。ハンドルを回すとウォームギアを介して大きな弓型のバネに力が蓄えられ、留め金を槌で叩いて外して射出する。

『アトランティコ手稿』、f.50v.

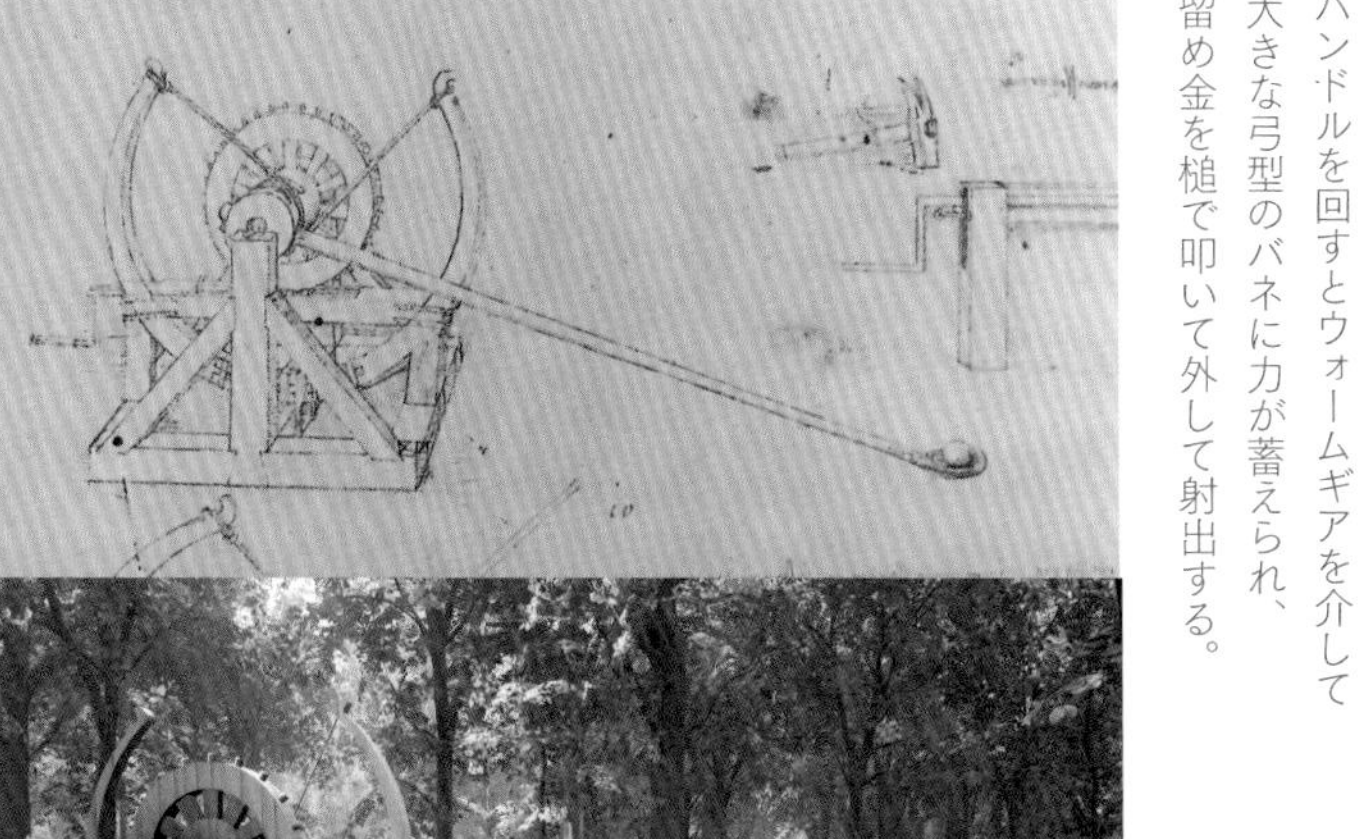

マルチキャノンシップ

Multi-Cannon Gunship

二組ある内輪を連結させると前進／後退し、それぞれ逆方向に回転させると船全体も回転する。強力な兵器だが、当時実現させるにはあまりにコストがかかりすぎた。

『アトランティコ手稿』、f.1rb.

二頭立て戦車

Assault Chariot (Reaping wagon for two-horses carriage)

それまで一切経験がないのに
軍事技師として雇われたため、
慌てて考えた兵器の初期アイディアは
装飾的で実用に向かない。
重くて遅いため回転刃も簡単によけられそう。

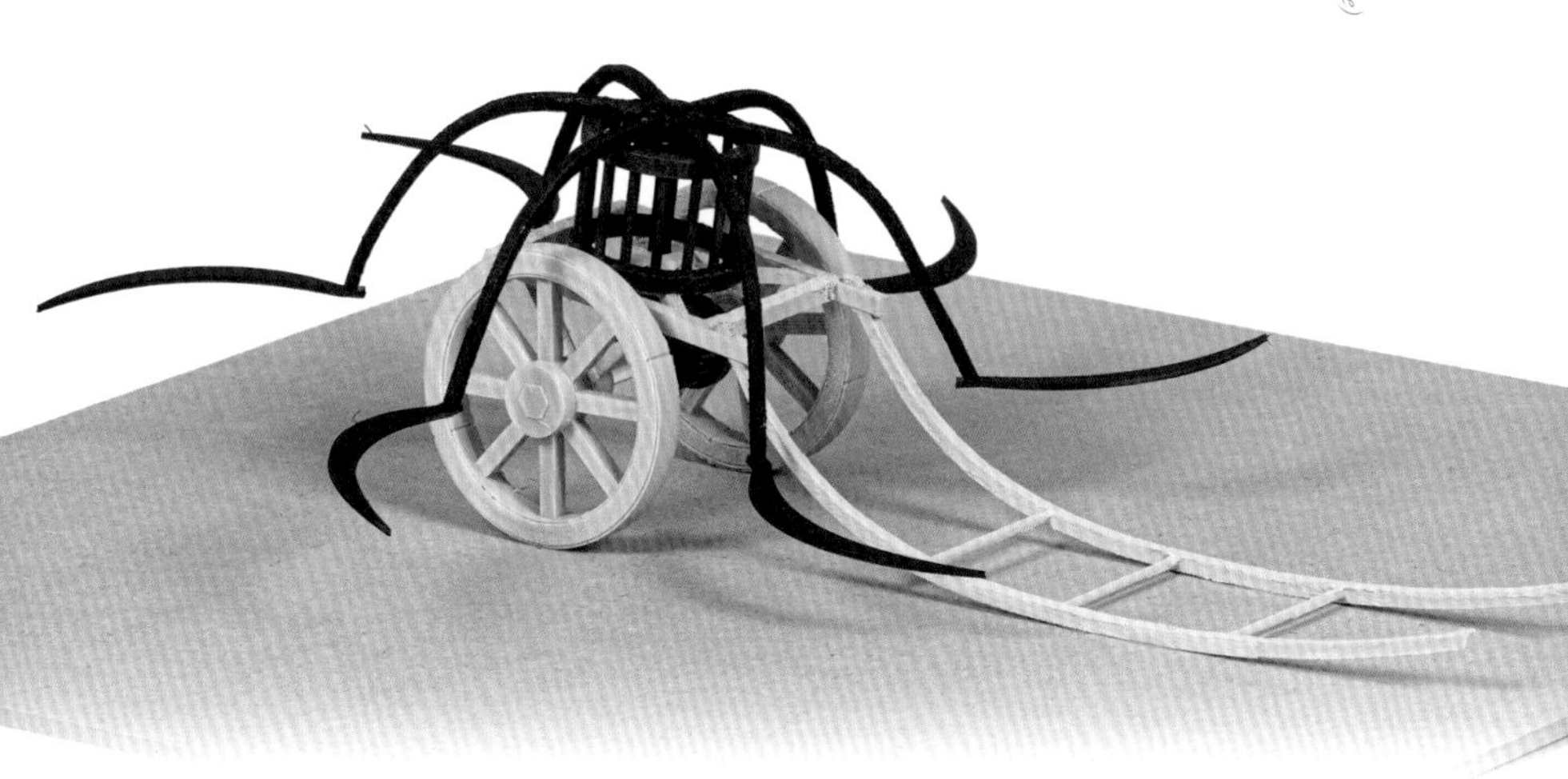

『トリノ紙葉』　トリノ、王立図書館、inv.15583r.

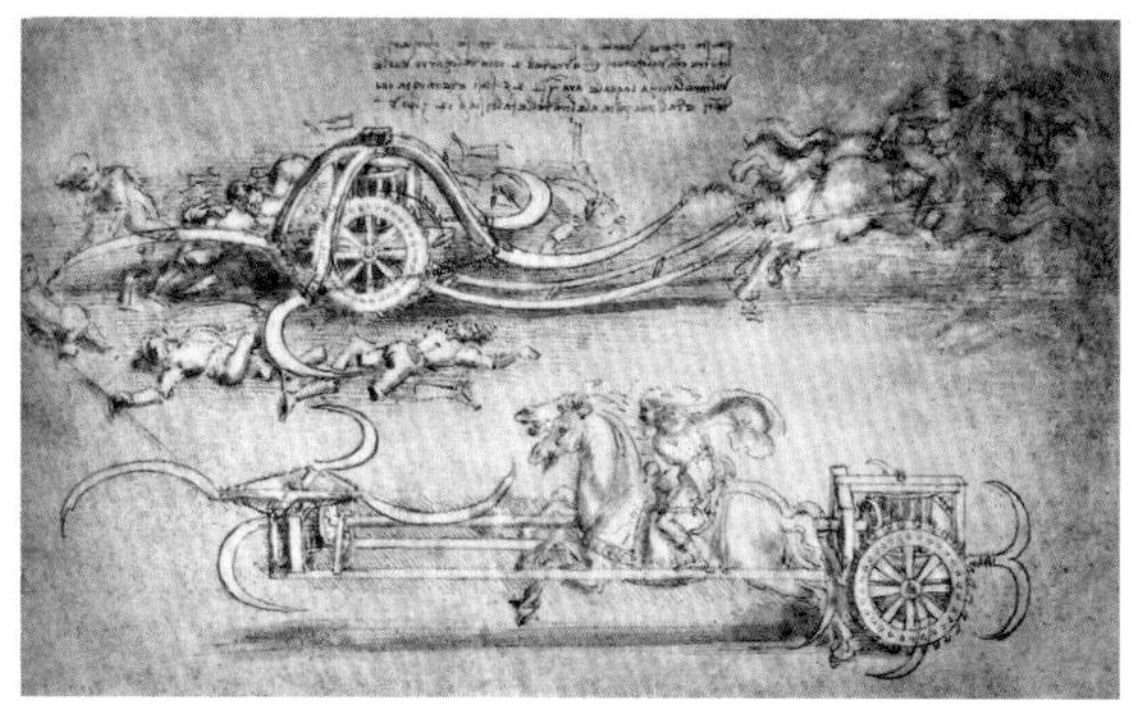

旋回橋

Swing Bridge

内陸部にあるミラノにとって、
河川は重要な交易路だった。
防衛目的も兼ねてレオナルドによって
考案された旋回橋は、
一本の支柱で全重量を
支える構造になっている。

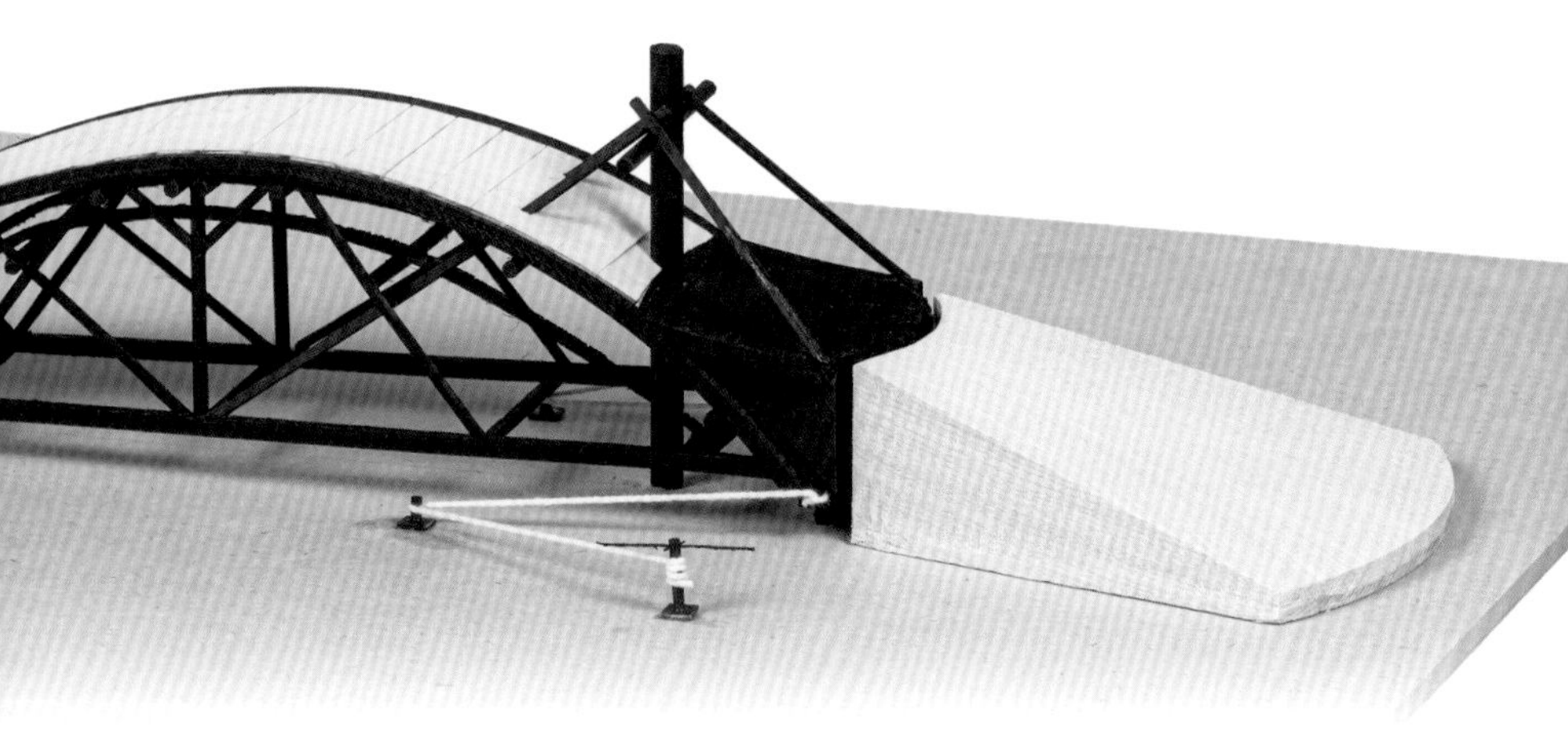

『アトランティコ手稿』、f.312ra.

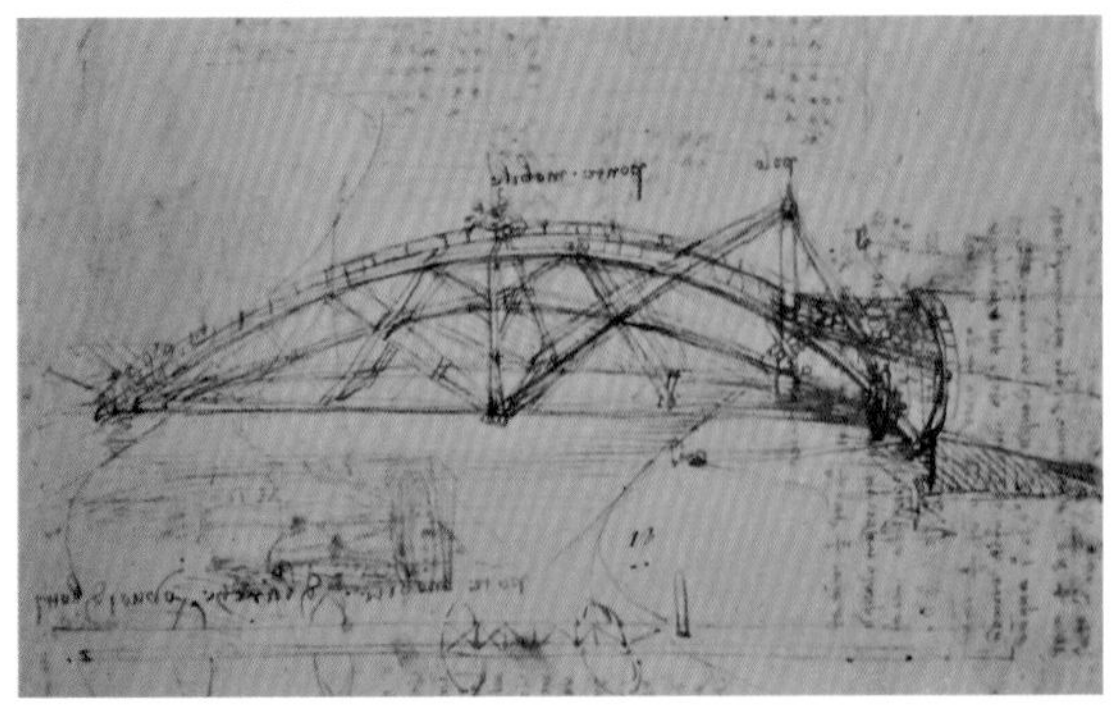

『アトランティコ手稿』、f.4r.

大型掘削機

Large-Scale Excavator

運河掘削用の大型クレーン。
二本の巨大な三角形アームから
提げられたボックスは、
それぞれ土砂と人を載せた状態で、
一方が上昇すると
連動してもう一方が下降する。

距離計測車

Odometer

地形の把握は軍事技師の役目のひとつだ。一定距離進むと小石が1個ずつ箱に落ちる仕掛けによって、レオナルドはそれまでにないほど正確な地図を作製している。

『アトランティコ手稿』、f.1r.

方向転換器

Lever Lift

本体横のレバーを前後に往復させると、ラチェット機構のギアを介して荷が持ち上がる。つまり、水平方向の運動を鉛直方向に転換する装置である。バラバラに示された図で構造を伝えようとしている点がなにより画期的である。

『アトランティコ手稿』、f.30v.

スラストベアリング

Thrust-Ball Bearing

永久機関を数種試して
無理だとわかったあと、
そこで終わらず摩擦の研究へつなげ、
抵抗を極小化するために
ボールベアリングの開発にまで
至る点がレオナルドの凄さである。

『マドリッド手稿 I』、f.101v.

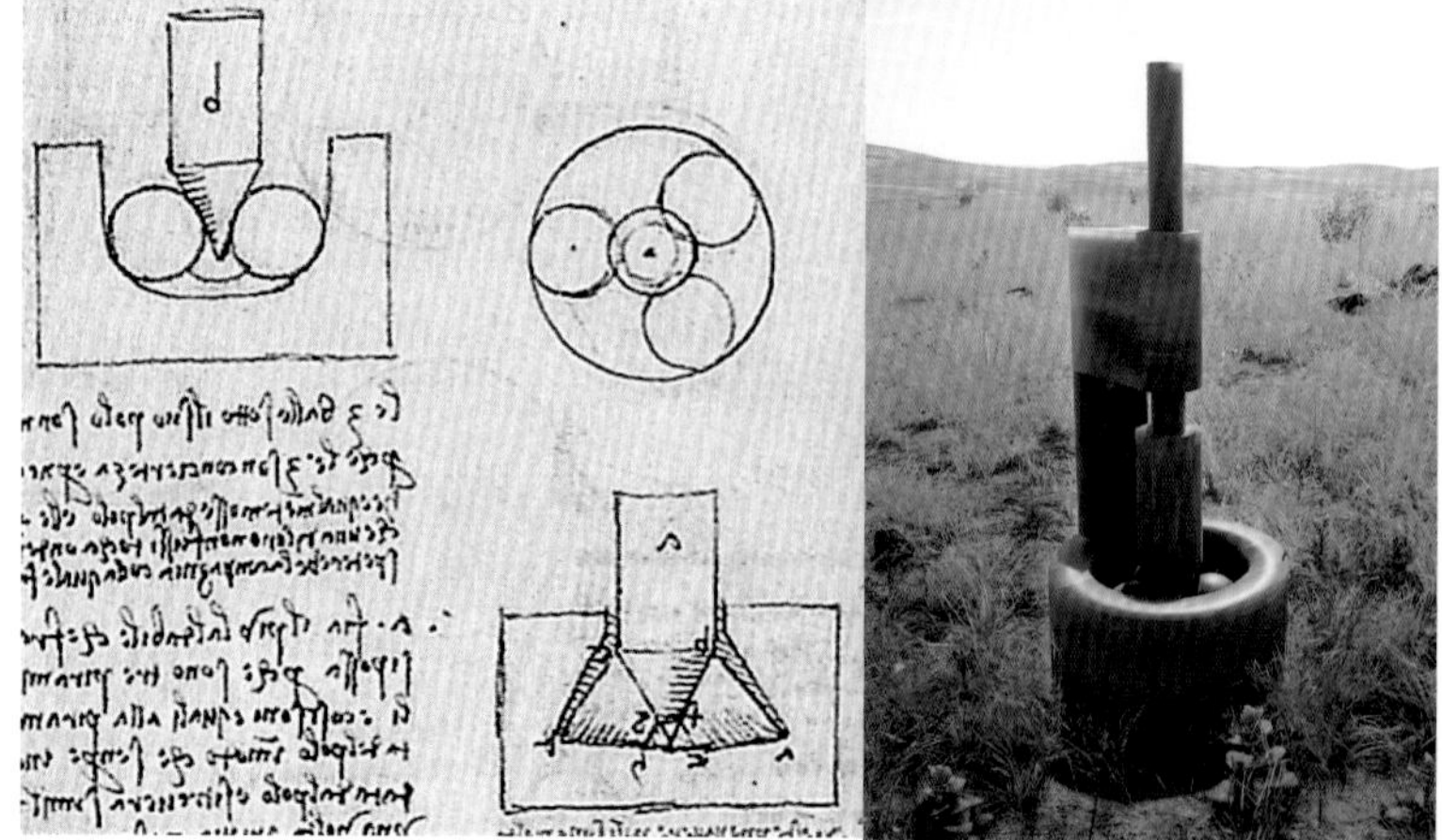

『アトランティコ手稿』、f.396r.

凹面鏡研磨器
Concave Mirror Grinder

ハンドルを手で回すと、石板と下の台の両方が回転し、台に載せられた鏡に歪みのない曲面を作る。鏡が薄くなるに従って石板が下がっていくことも計算されている。

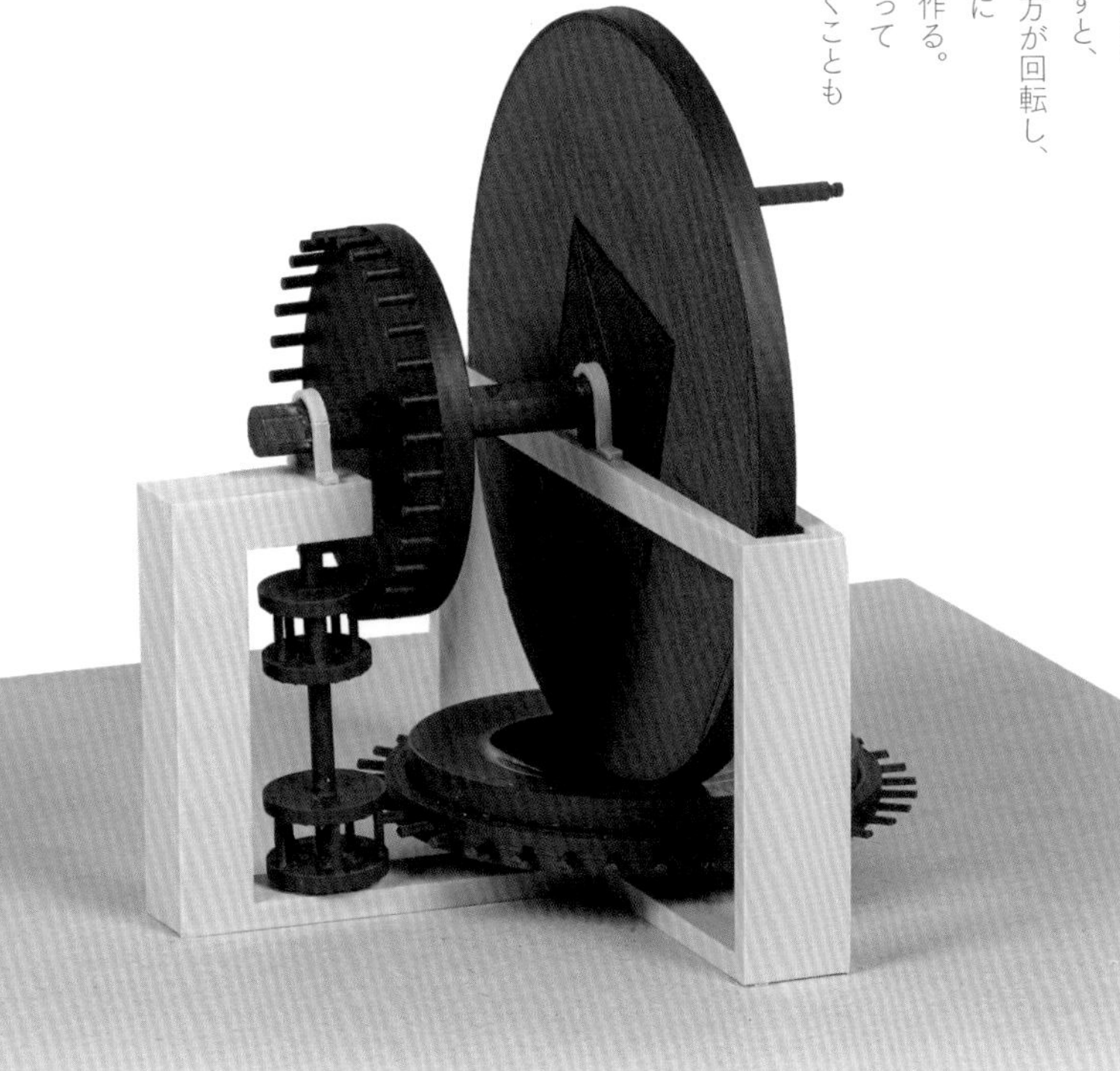

ヤスリ製造器

Automatic File-Cutting Machine

ホームセンターに行けばあらゆる部品が揃う現代と異なり、当時の技術者はネジやバネ、ヤスリのようなものまでほとんどを自分で作らなければならなかった。

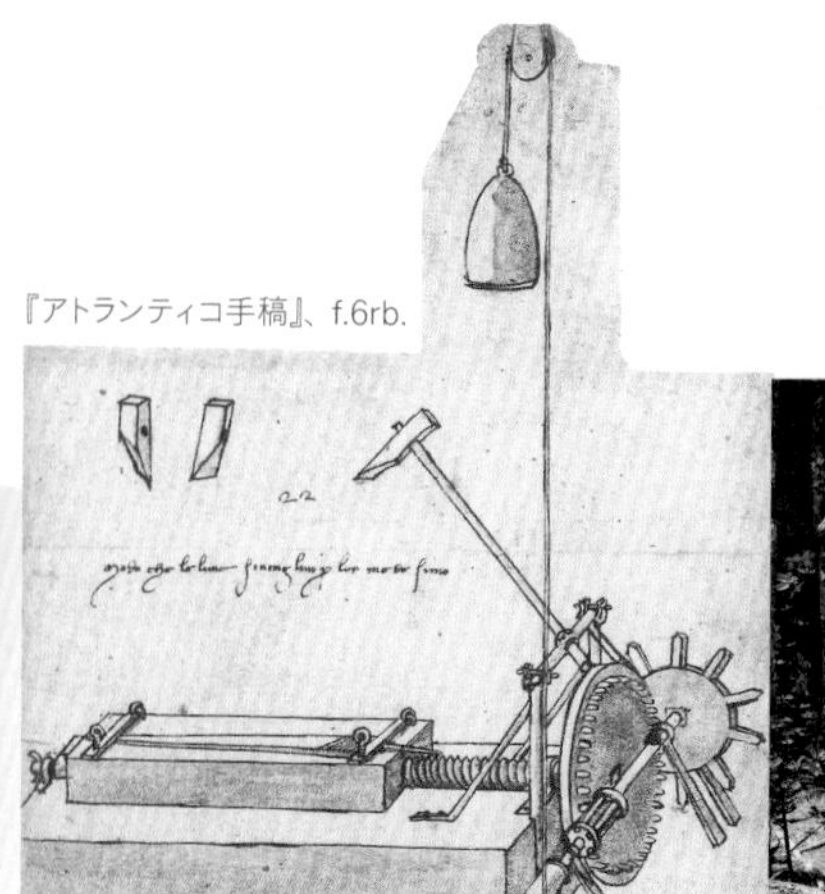

『アトランティコ手稿』、f.6rb.

自動ロースト器

Automatic Roasting Furnace

ずっと肉を回し続けるのは骨が折れる。
そこで上昇気流によって自動化した可愛らしい発明だが、
古代のヘロンの発明を思わせる、
れっきとした最初期の熱機関となった。

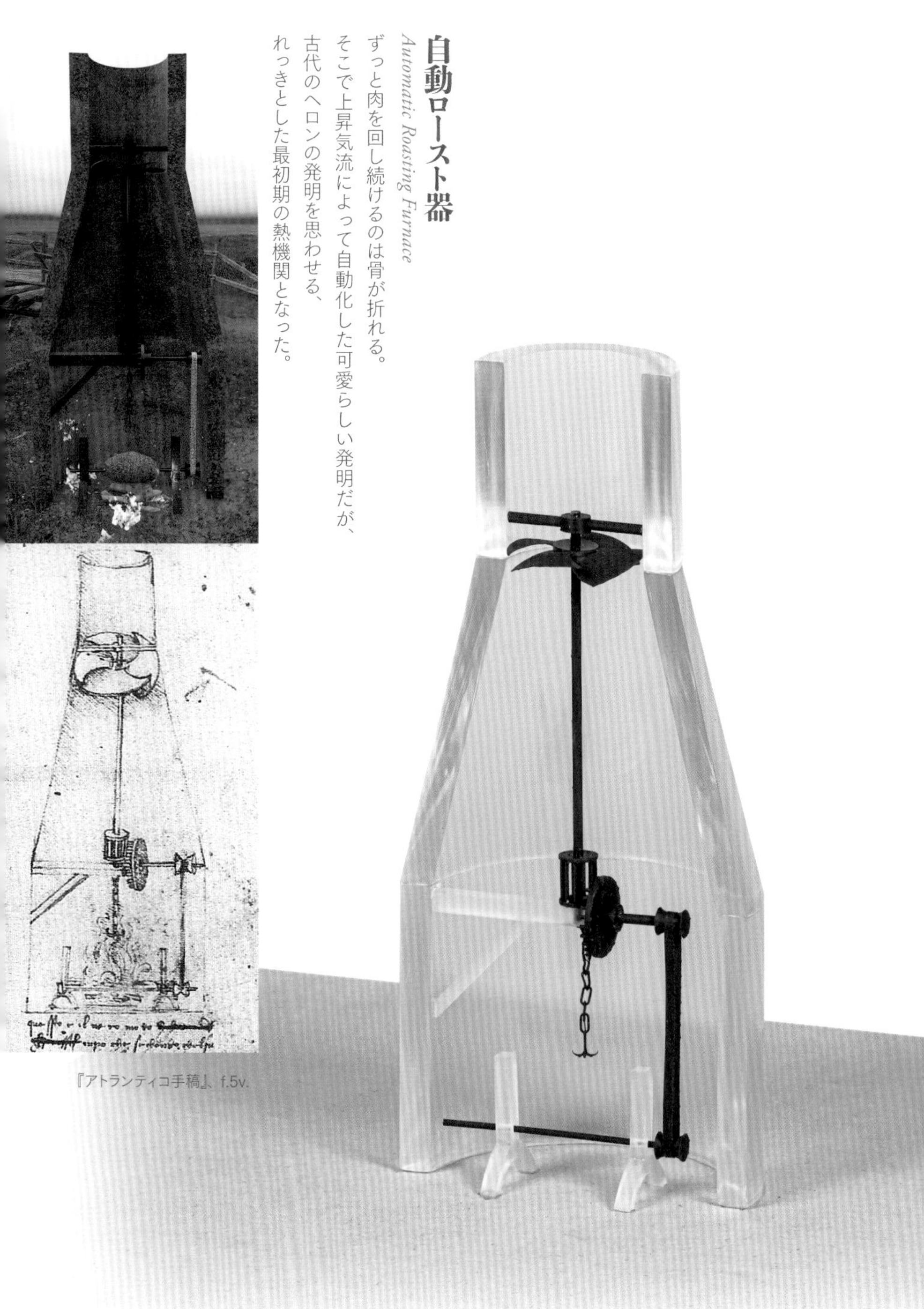

『アトランティコ手稿』、f.5v.

メディア・デザイン

およそ五〇〇年前にレオナルドが残した形象から彼が想い描いた状況に思いを馳せ、
その森羅万象への好奇心・探究心への憧憬と共感を込めて、
現代の技術でレオナルドの世界観へのアプローチを試みた。

ミラノの逸名版画家
《アカデミア・ディ・ヴィンチのエンブレム》
レオナルド・ダ・ヴィンチのデザインに基づく
銅版画　ミラノ、アンブロジアーナ絵画館

興味を育む

Fostering interest

好奇心から探究心をひらく
複合メディアによる鑑賞支援。
エンジニアとしてのレオナルドへの理解を
一歩進めるハンズオンや、
アクセシビリティに配慮した
マルチメディアによる情報サービス。

VR

サンタ・マリア・デッレ・グラーツィエ教会修道院とレオナルドが描いた《最後の晩餐》の空間を正確な寸法で再現した仮想空間。聖人の位置で卓上の物に触れたり、室内を歩いて開口部から外を眺めたりして、空間の大きさを体感できる。

上―**フィジカル UI ゲーム**

体の重心移動によるCG制御体験を通して《太鼓自動演奏車》の仕組みを理解する。

左―**タブレットゲーム**

《投石器》の本来の目的外利用を楽しむ。

レオナルド世界の分身

タグライン「俺もレオナルドだ（オレ／レオ）」を体現するキャラクターたち。

鑑賞ガイド（上2点）

無線位置情報による音声自動再生、バイリンガル、難読者へのユニバーサル・デザインとしての鑑賞ガイド。人気声優による見どころ解説やエピソード、AR（拡張現実）や解説映像などで鑑賞体験を支援。

インターネット・メディア

現在性と双方向性に適したSNS、定期的に公開する読み物やイベント情報発信および過去の情報集積機能を併せ持つ専門型ポータルサイト、記録撮影、ドキュメンタリー映像、デジタルサイネージなどのメディアミックスにより、レオナルドの世界へいざなう。

記念品

「持ち帰れるレオナルド・ダ・ヴィンチ」として、現状と修復後が表裏となった、寸法対比ができる画歴年表クリアファイル、現状と修復後の《最後の晩餐》が反復するマスキングテープ、《エンブレム》レーザー篆刻のブックマーク、コースターなど。

映像シミュレーションによる追体験

Re-experience with video simulation

映像インスタレーションや実験装置、資料・解説映像を通して、レオナルドの森羅万象への眼差しに通底する自然観への手がかりを提案する。

映像インスタレーション

デジタル修復版《最後の晩餐》静止画に溶け込み、染み出す、《最後の晩餐》が描かれた修道院室内と絵画内部に描かれた室内の光環境をシミュレートした光がうつろう、原寸大プロジェクション・マッピング。漆喰に染み込んだ沈黙にひとときの命を吹き込み、イエスのひとことから広がり干渉し合う心の波紋を暗示する音響絵物語、《最後の晩餐、のあと》。陽光の軌道が展示空間（現在）─修道院（過去から現在）─最後の晩餐現場（過去）という三つの時空間をひとつながりに錯覚させ、トロンプ・ルイユ（Trompe-l'œil、騙し絵）としてレオナルドが構想した没入感を追体験する。

3DCG アニメーション
手稿から機構と素材を検討しておこした静止画を動画化し、あらたな視点からの鑑賞と機能の検証を可能とする。

上—**蒸気スクリーン**
投影されたエンブレムの一筆書きアニメーションの光の線が、水と大気の循環エネルギーを描き出す映像装置。

右—**裸眼立体視による立体映像**
立体映像ディスプレイによりCGの立体造形物をより質感豊かに表現する。

［サイエンス・コーナー❶］

階層的な色彩計量手法によるレオナルド作品の色彩分析

――《モナ・リザ》の修復画像を通して

室屋泰三

絵画作品の「個性」は、その画面上の色の配置のなかに隠されているのではないか。私たちは、それら色配置から、作品の個性やほかの作品との違い、類似性を認識しているのではないか。本研究は、画面上の色彩の配置を「完全正規直交系による関数展開」という数学的な方法を用いることで、画面上の色の変化を余すところなく、かつ、さまざまなスケールで計量して、絵画画像の色変化の特徴を知ろうというものである。

本稿では、《モナ・リザ》のデジタル修復前後の画像の色変化の特徴を計量することにより、デジタル的な「修復」と単なる「フォトレタッチ」との違いの分析を試みた。

色変化の強さの計量手順の概略

①画面を横（または縦）に分割して、それぞれの区画ごとに平均色を求め、隣り合う区画で色差を計算する。

②色差に区画の面積に応じた重みを乗じる。

③各区画をさらに（前回が縦ならば横、横ならば縦に）分割して、重み付き色差の計算を繰り返す。

④分割は画面上の「色配置の重心」に着目して行う。

⑤区画の大きさ（対角線の長さ）により重み付き色差を分類し、各分類の総量（重み付き色差の二乗和）を、区画の大きさに対する、色変化の強さとする。

分析対象画像とその色分布（資料1）

A―原画像

B―修復画像

C―ソフトウェアによる「自動補正」画像

D―人手によるフォトレタッチと減色処理を行った画像

分析結果（資料2）

BはAに対して色分布が大きく異なるが、グラフに示すように画面上の大きさに対する色変化の強さがAと同様となっており、色差を通して観察したAの色変化の特徴をBも保存したかの結果が得られた。C、Dについては、A、Bには見られない大きさ60％付近での色変化が生じている。AとCのように画像の見た目や色分布の類似性があっても、画面上の色変化の構成に違いが生じうることが示された。

むろや・たいぞう
国立新美術館学芸課情報企画室長（主任研究員）。独立行政法人国立美術館本部事務局情報企画室長（併任）、日本色彩学会、同学会画像色彩研究会所属

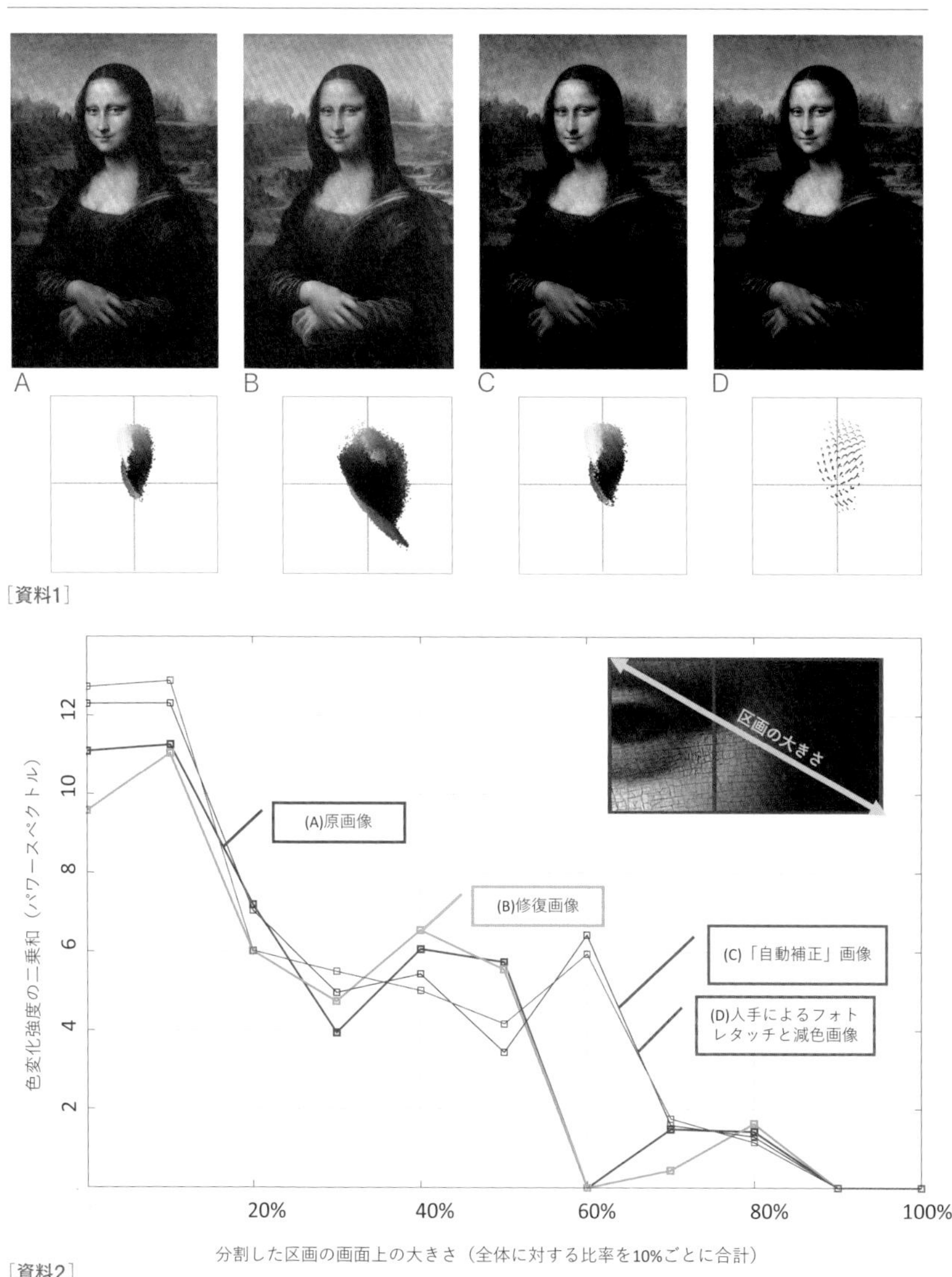
A
B
C
D
区画の大きさ
(A)原画像
(B)修復画像
(C)「自動補正」画像
(D)人手によるフォトレタッチと減色画像
色変化強度の二乗和（パワースペクトル）
2
4
6
8
10
12
20%
40%
60%
80%
100%
分割した区画の画面上の大きさ（全体に対する比率を10%ごとに合計）

［資料1］

［資料2］

［サイエンス・コーナー❷］

数理的ヴァルール（色価）を用いた《モナ・リザ》の色彩分析

YOF
大原崇嘉＋古澤龍＋柳川智之

ヴァルールとは

ヴァルールとは おもに画家が絵を描く際の、画面上の色の見え方の状態を示す造形用語である。ヴァルールは画面上の色の諸要素（色相、彩度、明暗度、マチエール、面積、等）が画面全体の関係性のなかで発揮する印象の度合い、あるいは絵画空間の奥行きの度合いと考えられ、画家独自の絵画空間の制御において扱われる概念である。

YOFが提案する数理的ヴァルール定量化アルゴリズム（計量化の方法）では、デジタル画像を構成するひとつのピクセルが持つ数理的ヴァルールを、それ以外のすべてのピクセルとの色差を距離の二乗で除算した値の蓄積として演算する。

具体的に任意の一ピクセルが持つ数理的ヴァルールを演算する方法を説明すれば、まず画像を構成するすべてのピクセルの色差を求め、次にそれらを画素間距離の二乗で除算し、最後に合算する。この操作を画像解像度分繰り返すことで、対象画像のヴァルール値配列が得られる。この配列を構成要素の領域ごとに合算することで、絵画の構成要素ごとの構図分析を行うことや、視覚的に最も強い印象を与える領域をとらえることが可能となる。

《モナ・リザ》のヴァルール分析

《モナ・リザ》に対して数理的ヴァルール（以下で扱う「ヴァルール」は数理的ヴァルールと同義）の分析を行った。

図1にピンク色で示したエリアと数値は、画面全体の総ヴァルール量を一〇〇％としたときに、そのエリアが持つヴァルールの配分を示したものである。顔から胸にかけての領域は、画面に対しての面積比は低い（一一％）にもかかわらず、二三％ものヴァルールを保有していることから、画面の中心的要素だといえる。

次に強い要素としては画面下の手の領域（面積比は五・六％であるのに対し、ヴァルールの占有比は八％）である。手の両サイドにも強いヴァルールを持つ袖のシワの描写があり、その方向に向かって背景へと導かれる。人物の領域に対して背景の持つヴァルールの値は低く、色彩遠近法に従い、遠景になるほど弱まっていく。しかし、地平線の部分のヴァルールは色彩遠近法のルールから逸脱するように強く描かれることで、顔周辺への視線誘導を見てとれる。また、ヴァルール定量化アルゴリズムを応用することで、

YOF（ヨフ）
大原崇嘉、古澤龍、柳川智之の3人により2015年に結成され、色彩・視覚伝達の研究と視覚表現を行うグループ。絵画などの画面上の色の相互作用（ヴァルール）の研究を発露として生み出される新しい視覚表現は、いずれもイメージの成立状況に働きかけ、視知覚に亀裂をもたらす構造を持つ。

色彩対比と明度対比のバランスを検証できる。《モナ・リザ》では黄と青の色彩対比も明暗対比と同程度扱われている。

これはレオナルドが色彩遠近法（遠方の対象物ほど青味を帯びた色調に描き、色彩によって奥行きを表現する技法）を意識的に用いていたことを裏付ける結果といえる。

またこのほかに、菅亮平氏による《モナ・リザ》模写を工程ごとに撮影した画像から、ヴァルールの変遷を動的にとらえる試みも行った（図3）。制作が進むにつれ変動する構成要素ごとのヴァルールの配分を追うことで、合理化された描画手順を含む絵画技法が可視化された。油彩の彩色技法では、不透明白色によって明るい部分を描写し、それを褐色系の透明色によりグラッシ（透明技法）を施してトーンを抑える作業を繰り返すことで、非常に滑らかな諧調表現が実現される。レオナルドは《モナ・リザ》で筆触が見えなくなるほどこの工程を繰り返し行った。この作業のなかで、背景と顔との強さの比較など、細かなヴァルールの調整が繰り返し行われたことが推測される。

図1

図2

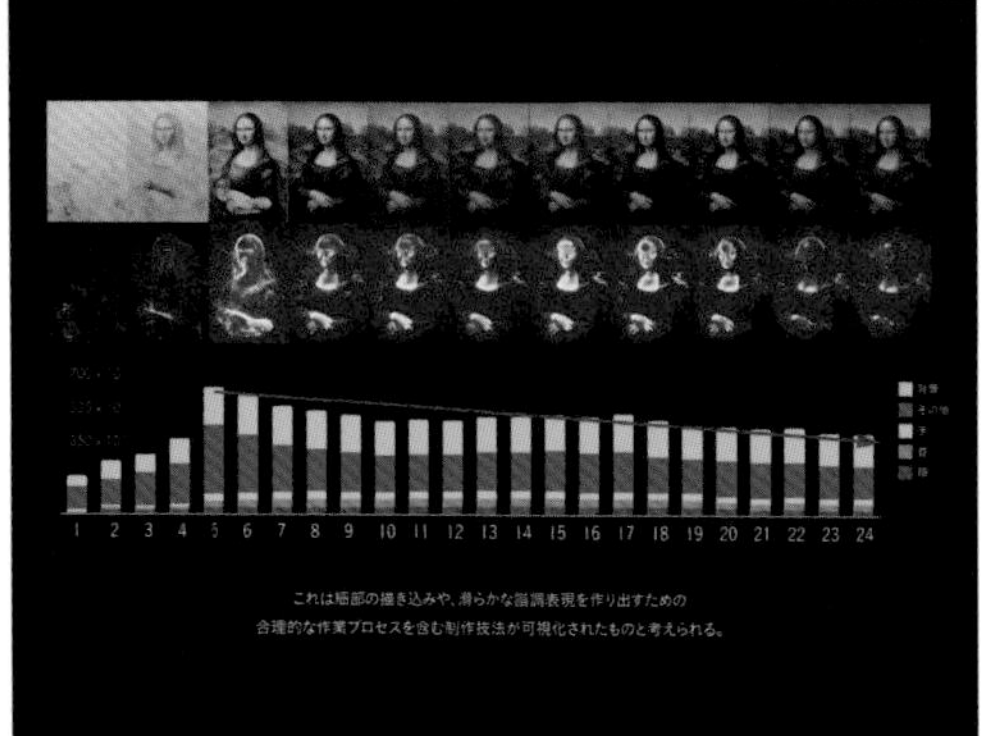

図3

図1—ヴァルールのヒートマップ画像
図2—得られたヴァルールをグレースケールでマッピングした画像
図3—模写制作工程におけるヴァルール分析映像
（YOFのWebサイトを参照:http://yofyofyof.org）

デジタル・ダ・ヴィンチ
——東京造形大学ダ・ヴィンチ・プロジェクト

藤井 匡

万能の人vs現在のアートとデザイン

レオナルド・ダ・ヴィンチが五〇〇年前に描いた夢を現在のアートとデザインで実現する。これがこの復元プロジェクトの出発点である。現在のテクノロジーを使うことで、時代に先駆けすぎていた彼の計画をある程度は実現することができるだろう。実際、本プロジェクトでは、多くの場合、デジタルデータをコンピュータ上で操作する方法を採用している。仮に、レオナルドが現代の技術を知っていたならば、進取の気性に富んだ彼の性格から考えて、それらを積極的に使ったはずである。

一方で、私たちの状況が五〇〇年前よりも不利に働いているところもある。現代に生きる人間であれば、誰であっても、彼のような万能性を発揮することは困難である。近代化の進展に伴って、それぞれの領域の専門性が高くなったためである。東京造形大学をはじめとする美術大学でも、領域ごとの研究や教育が基本となっている。ルネサンスの工房における幅広い制作活動とは大きく異なっているのだ。

解決策はひとりに対して多数で臨むこと。本プロジェクトでは、絵画、彫刻、機械、メディア・デザインという四つのワーキンググループ（以下WGと表記）で活動を行うことにした。二〇一八年十一月頃から教員間での議論を始め、二〇一九年四月に説明会を行って参加する学生を募集、最終的にはその成果を展覧会（「夢の実現」展、153頁参照）で披露することを目指して、大学内の多くのセクションとの連携をとりながらスタートした。

それぞれのWGでの取り組み

絵画WGのミッションは、レオナルドの絵画をデジタル画像としてオリジナルの状態に復元することである。ペンタブレットなどを用いて高精細画像に着彩することで、色鮮やかだった当時の姿を再現することが目指された。作業の中心は《東方三博士の礼拝》と《最後の晩餐》の大作二点である。前者は未着彩のまま放置されたもので、後者は多くの顔料が剥落した状態となっている。共同でひとつの作品を完成させることにしたものの、何せ相手は筆の遅いことで有名なレオナルド。その細密な描写の再現には多くの時間が必要となった。

作業のなかからはさまざまな工夫が生まれてきた。たとえば、左利きだったレオナルドの絵を右利きの人間が再現すると、引かれた線の方向が反対になる。この問題は画像を左右反転させて描くことで解消された。また、《ジネヴラ・デ・ベンチ》の復元は、実際の人間の手を写真撮影したものを絵に組み込み、それに加筆するという手順で行われた。これらはデジタルの画像であるがゆえに可能な方法である。

彫刻WGの方法は五〇〇年前とほぼ同じ、人間の手で粘土を少しずつつけていくやり方で進められた。現在でも、こうした彫刻を制作する場合、図面化が行われることはほとんどない。また、実際の人や馬を3Dスキャナーによってデジタル処理する方法も効果的と

左上―プロジェクトの学内説明会（2019年4月）
左下―記者発表会（2019年9月）

はいえない。こうした彫刻では、実際の人や馬の姿が単にコピーされているのではなく、相当に変形が加えられているからである。理想的な人体比例に執着していたレオナルドであればなおさらだろう。結局は、実物の馬を写生したり、粘土で縮小模型をつくったりしながらイメージを固めていく、伝統的な方法が最も有効なのである。

問題は、やはり、レオナルド本人も苦労した後ろ脚二本で立つ馬の姿の立体化である。彫刻の場合、絵画とは異なり、重力の問題に直面することになる。前後左右すべての方向から見ても破綻のないようにまとめる必要もある。さらに、レオナルドのスケッチでは、馬の上下にいる二人の大きさが一致していない。それを違和感なく立体化する工夫も必要となった。

機械WGは建築と工学系機械を担当した。これらはすべて簡単なスケッチしか残っていない。そのため、まずは、それらをデジタルの立体形状データに変換する作業を行い、それから、そのデータをもとに模型とアニメーションを制作することにした。模型では3DプリンターやCNCルーターといった、デジタルデータを立体化する機械を使ったが、最終的な仕上げはやはり手作業である。機械の動きを説明するアニメーションはメディア・デザインWGが担当した。

作業から判明したのは、レオナルドのスケッチを立体化するにはイマジネーションが重要になることである。文化的背景の違うルネサンス期のスケッチを解読するには、現代のものを見るのとは異なった想像力が要求される。現在なら普通に行われる機能や構造の説明とは異なった、視覚優先の伝達方法を彼が用いているからだ。そうしたものを読解していく作業は、レオナルドが三次元の世界をどのようにとらえていたかを知る契機にもなった。

メディア・デザインWGは「展示するものを制作すること」「展示されたものと鑑賞者をつなぐこと」

「夢の実現」展スタッフ説明会（2019年11月）

「展覧会と外の世界をつなぐこと」を行う三つのグループでの活動となった。展示物の制作では、建築や工学系機械の復元データをアニメーション化したり、絵画空間を仮想的に体験したりするための作業を行った。鑑賞者とのつながりでは、「学ぶ」「楽しむ」の二つの方向から、鑑賞ガイドの作成や来場者が体験的に鑑賞する場の企画などを行った。外の世界とのつながりでは、ウェブサイトやSNSを中心に情報発信を続けている。

これらの活動は「作品と人」や「人と人」をつなぐために、情報の伝え方をデザインするという考えに立ったものである。「夢の実現」展では、そうしたデザインのあり方を常に再確認しながら、鑑賞者に必要な情報を効果的に提供することを目指した。

さらに広がる万能性に対して

とはいえ、レオナルドの万能性はこうした範囲に留まるものではない。数学(幾何学)、物理学(自然観察)、生理学(人体解剖)、音楽(楽器の製作や演奏)、演劇(舞台演出)など、彼の関心はあらゆる方向に広がっている。そのすべてを現在のアートとデザインの枠組みのなかで対応することは困難である。また、彼の芸術や思想を理解するためには、その背景となる、ルネサンスという時代を理解することも不可欠となる。そのため、「夢の実現」展では、さまざまなジャンルの専門家を迎えての関連イベントを多数実施することにした。鑑賞される方には、そうした機会を導入として、現代でもなお計り知れないレオナルドの巨大さに触れてもらいたいと考えたからである(付章❶❷参照)。

レオナルド・ダ・ヴィンチはその多面的な活動ゆえに、後世、さまざまな人間像として解釈されてきた。それらの解釈は、彼本来の姿を探求しようとするものである一方で、それぞれの時代の価値観を鏡のように映し出してもいる。本プロジェクトもその例に漏れない。私たちは私たちの時代をどのようなものとして理解するのか、本書をきっかけに考えていただければ幸いである。

復元制作それぞれの取り組みから——［絵画WG］

絵画のデジタル工房

絵画WGは、レオナルドの現存する絵画十六点の劣化の修復、未着色のものに色彩を施すなど、パソコンやiPadを使用しPhotoshop、CLIP STUDIOでのヴァーチャル復元を行った。

デジタル修復で分担作業をする上での問題点は、それぞれの描き方の違いをどのように統一をするかというところにあった。その統一を図るために、学生とレオナルドの描写方法やクセの考察をし、師匠であるヴェロッキオの作品や同時代の作家の同じテーマを扱う絵画の研究から始めた。そこから左利きのタッチを再現するために、描く前に画面を反転させたり、物体を包み込む空間に厚みを出すためのスフマート技法を表現するために、点描のフィルターを作り描いた絵に重ねながらアウトラインをぼかすといったデジタルでしか再現できない方法を話し合った。

一年間を通し大型作品の《最後の晩餐》《東方三博士の礼拝》の二点を中心に各半年かけて学生に手がけてもらった。毎週みんなで集まり、服の色合いやポーズなど絵のストーリーを踏まえ時代背景を考えながら意見を出し合い完成を目指した。

十六点の修復内容は、《受胎告知》は黄変の除去、《カーネーションの聖母》《ブノワの聖母》は黄変の除去と絵の具の縮みを修復、《ジネヴラ》は切り取られた部分の想像修復、《東方三博士の礼拝》《聖ヒエロニムス》は全体的に着色を施す、《岩窟の聖母》は黄変の除去と額の痕など画面の劣化を修復、《白貂を抱く貴婦人》《ラ・ベル・フェロニエール》は表面のひび割れの除去、《糸巻きの聖母》は赤外線カメラで浮かび上がる下絵をもとに修復、《最後の晩餐》は表面の劣化の修復とレオナルドの残した部分からの再現、《聖アンナと聖母子》は左右の額の痕の除去、《モナ・リザ》は黄変の除去と色彩の再現、《サルヴァトール・ムンディ》《洗礼者ヨハネ》は沈んだ色彩の復元。

今回、科学的な根拠や歴史的な側面から考察を加えて修復を行った絵画WGの取り組みは、絵の具ではなく現代の技術を活かすことで自由に仮想することができた成果と思う。この先、技術の進歩とともにレオナルドの絵画の謎がさらに解き明かされることを楽しみにしている。

生嶋順理（いくしま・じゅんり）東京造形大学副学長・教授、美術家。国内外で版画作品を中心に発表活動を行う。第12回クラコウ国際版画ビエンナーレ展メダル賞。パブリックコレクション：町田市立国際版画美術館、国立クラコウ美術館、ロサンジェルス・カウンティ美術館ほか。版画学会会長、日本美術家協会会員

宮崎勇次郎（みやざき・ゆうじろう）東京造形大学准教授、現代アーティスト、背景絵師。おおいたトリエンナーレ「アートで見る南総里見八犬伝」、「Look East! Japanese Contemporary Art」ギルマンバラックス（シンガポール）、「第16回 岡本太郎現代芸術賞」展、国民文化祭おおいたなど。トーキョーワンダーウォール2005 大賞受賞

復元制作それぞれの取り組みから――［彫刻WG］

スフォルツァ騎馬像の五分の一復元

彫刻WGは、レオナルドの未完に終わったスフォルツァの騎馬像の五分の一サイズの復元をした。レオナルドのスフォルツァの騎馬像はいくつかのプランがあったようだが、彼が断念した二本足で立っている馬を作ることになった。資料としてはデッサンが一枚あるのみであった。そこで、学生たちと彼の師ヴェロッキオ制作のコルレオーニ将軍騎馬像等を東京藝術大学に見学した。デッサンの馬の姿が、現代われわれがよく目にするサラブレッドやアラブ系の馬とは種類が違うことに気がつき、その種類を探した結果、デッサンの馬はサンマルコ聖堂にある四頭の馬とほぼ同じものであることがわかり、またこれはアンダルシアという種類であると考えるに至った。古代からルネサンス期のヨーロッパの騎馬像はほぼこれに近いものが多いこともわかった。

制作にあたっては、まず二十分の一のマケットを制作しながらさまざまな問題点を洗い出すことから始めた。いちばんの問題点は平面のデッサンを立体にした場合の矛盾点をどういった形で克服するかということであった。デッサンは一方向からだけの表現だが立体の場合三六〇度すべての視点に耐えうるものでなければならないため、デッサンとの齟齬が出てくるのである。基本的にはあくまでもデッサンのイメージに忠実に作業を進めながら、解剖学的に問題のない形にしていった。実際の制作ではNSP粘土を使用した。この粘土は一般的な水粘土と違い細部まで高い密度で制作できるためである。原型完成後、石膏原型、蝋型原型といった順で仕事を進め最終的にはブロンズ鋳造を行い完成に至ったが、手法的にはルネサンス当時の技法にできるだけ近い形で作業を進めた。

現実問題としては、授業のなかでの限られた時間での学生たちとの制作であり大変な面もあったが、学生たちはよく頑張ってくれた。そのためか学生たち自身がとても大きな達成感を感じることができたように思う。

井田勝己（いだ・かつみ）
東京造形大学教授、彫刻家。第16回現代日本彫刻展・大賞・下関市立美術館賞受賞、エネルギア美術賞受賞、第17回現代日本彫刻展・神奈川県立美術館賞受賞、第15回神戸須磨離宮公園現代彫刻展・京都国立近代美術館賞受賞・三重県立美術館賞受賞、第18回現代日本彫刻展・神戸須磨離宮公園賞受賞、第31回中原悌二郎賞優秀賞受賞、長野市野外彫刻賞受賞、大村智賞大賞受賞ほか

復元制作それぞれの取り組みから――［建築＋機械WG］

レオナルドの工房、われわれのファブラボ

われわれ建築＋機械WGは、十八のアイテム（大墳墓、集中式聖堂、旋回橋、大型掘削機、太鼓自動演奏車、投石器、マルチキャノンシップ、二頭立て戦車、自動ロースト器、凹面鏡研磨器、ヤスリ製造器、ベアリング、距離計測車、方向転換器、グライダー、流速計、最後の晩餐の空間、マギの空間）の3Dデータを作成、うち十四アイテムについてそのデータを使って模型を制作した。また、その3Dデータにメディア WG がマテリアルを適用したものをUE4（アンリアルエンジン4）で静止画に仕上げた。

3Dデータは本WGの学生が一人一アイテムずつ担当し作成した。モデリング・ソフトウェアは学生それぞれが使用可能なものを使用した。具体的には、Maya、3dsMAX、Vectorworks、Rhinoceros、SketchUp、SolidWorksと多岐にわたった。最終的にVectorworksですべてのデータを調整した。

その3Dデータを使い、CNCルーター（コンピュータ制御で削ってものを作る機械）四台とFDM型3Dプリンター（コンピュータ制御で積み上げてものを作る機械）七台、光造形型3Dプリンター（同前）三台で模型を制作した。CNCルーターではシナ合板を加工し、FDM型3DプリンターではPLAのWoodフィラメントを使用した。後者はトウモロコシなどを原料にしたバイオプラスチックに木の粉末を入れた材料で、仕上がりがつや消しで木の感触がある。複数のWoodフィラメントをテストし、シナ合板に色味がマッチし出力もある程度安定したものが見つかった時点で使用材料とその構成を確定した。Woodフィラメントは一般的に気難しく、当のフィラメントもプリンター本体を選んだため、われわれはメインのプリンター本体もテストの結果によって選んだ。

静止画は建築＋機械WGに依頼された仕事ではなかったが、UE4が建築の、とくに景観を含むデザインの決定に使用され始めており、われわれもすでに取り組んでいたため積極的に提案し採用となった。

上田知正（うえだ・ともまさ）
東京造形大学教授、建築家、一級建築士。京都工芸繊維大学、東京藝術大学大学院、Architectural Association School of Architecture 修了。八束はじめ建築計画室を経て一級建築士事務所オクトーバー設立。作品に岩手県大槌町復興支援施設（2019）、NOVELA（2008）など

復元制作それぞれの取り組みから——［メディア・デザインWG］

レオナルドの網目と結び目

メディア・デザイン（以下、MD）とは伝え方のデザインである。「夢の実現」展におけるわれわれのミッションは、五〇〇年前にはなかった体験を生み出すことであった。そして情報と物質の両面から①展覧会と外の世界をつなぐ、②展示物と鑑賞者をつなぐ、③展示物、の三つの役割を担った。

具体的には①はPR（ブランディング）・継続的な情報集積と共感を開拓する情報提供（アーカイブ・ドキュメンタリー・印刷物・インターネットメディア）、②は解説映像・鑑賞ガイド（マルチメディア・AR）制作、③は3DCG動画・映像作品・科学的研究と結ぶハンズオン（VR・ゲーム・立体映像）・記念品の開発である。

プロジェクト全体を俯瞰しながら制作する部門、他WGとの連携で進める部門、他WGの完成を待って制作する部門があり、多岐にわたるタスクに合理的に取り組めるよう、総監督と各制作の専門職監督（のもとに学生を配したタスクフォースチーム）による自律分散型組織で臨んだ。レオナルドが内観していた構想に思いを馳せ、その森羅万象への好奇心・探究心への憧憬と共感を込めて現代の技術で彼の世界観へアプローチする高揚感と同時に、デジタル技術万能感による浅慮主観への批評点検軸の意味も込めて、タグラインを「俺もレオナルドだ（オレ／レオ）」とした。これは制作時折々の判断においてレオナルドの〝正解〟を熟考客観的に自問する合わせ鏡としての鏡言葉になっており、自身を指差すキャラクターに体現されている。

レオナルドは晩年、造形芸術工房とは異なるアカデミアを構想していたとされ、そのエンブレム・デザインが六種類現存する。彼のアカデミア構想を記述したイデオグラムであるかのような一本の線に導かれた数理的な網目の魔法陣を池に反射投影した。本展のメイン・ビジュアルとした《モナ・リザ》のネックラインを縁どる網目模様との連なりから彼の理想を感じとることができたなら、それこそがレオナルドの夢の実現といえよう。

粟野由美（あわの・ゆみ）
東京造形大学教授、形の文化会副会長、日本色彩学会画像色彩研究会幹事。製品デザイン修業、商業施設建築設計・施工管理・VI・装飾造形、映像・イベント企画制作、DTM/DTP/WEB、照明環境調査、知覚心理学・未来学・日本文化研究に従事。共著『Digital Technology in Japanese Museum』（Left Coast Press）。別名義でExploratorium A.I.R、岡本太郎記念現代芸術大賞準大賞

[絵画WG]

[彫刻WG]

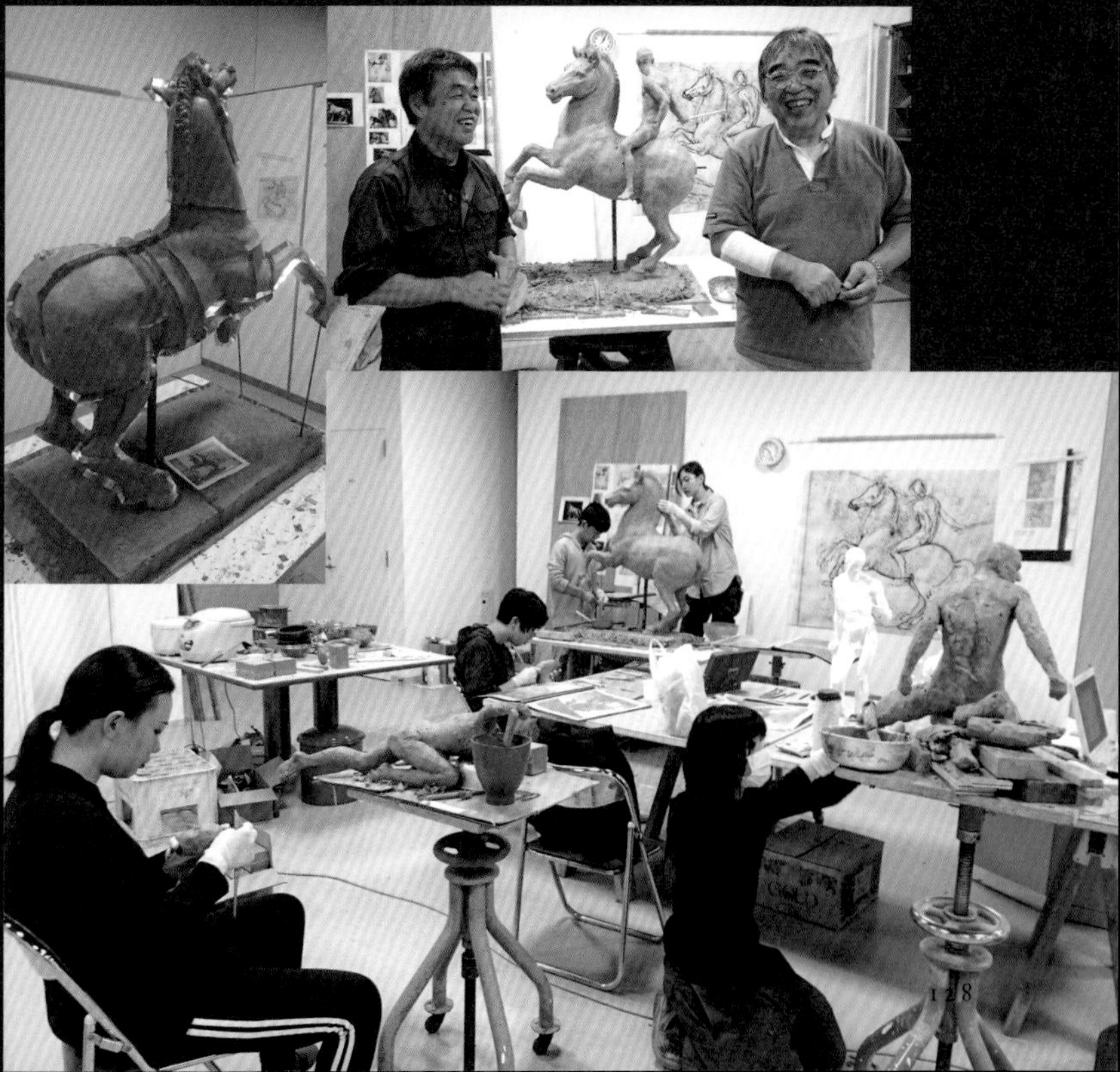

［建築＋機械WG］

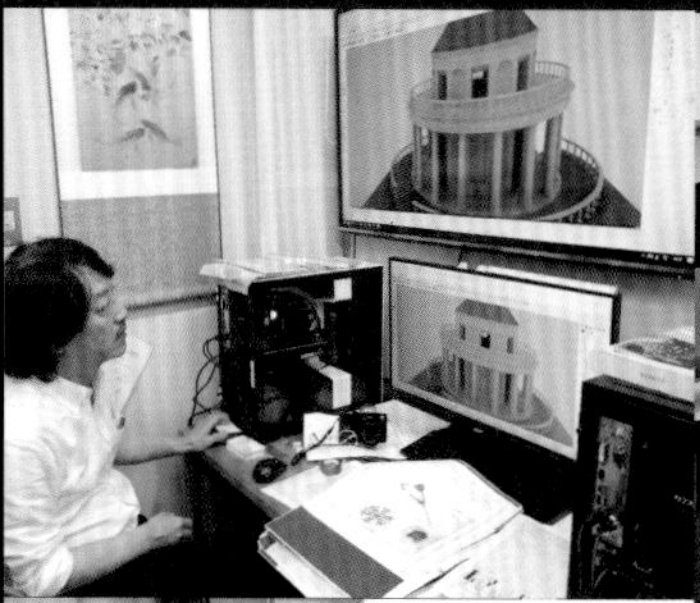

［メディア・デザインWG］

幻の壁画《アンギアーリの戦い》──不成立に終わった「世紀の対決」

レオナルドが完成させられなかった作品のひとつが《アンギアーリの戦い》である。フィレンツェ共和国が政庁舎の五百人広間の壁画制作を依頼したもので、対ミラノ戦で勝利をおさめた戦闘が主題である。ミラノ時代の騎馬像制作で馬を研究し尽くしていたレオナルドは、お得意の馬が激しく絡み合う場面を中心に据えた。

やや遅れて、政府はミケランジェロに同じ広間の別の壁面装飾を依頼する。すでに制作が始まっていたレオナルドの下絵をみて、彼はおそらく驚愕したに違いない。戦争主題にもかかわらず、馬が登場する戦闘場面を避け、兵士が水浴び中に敵の来襲の報せに大慌てで準備をする、対ピサ戦での《カッシーナの戦い》を選んだ。

しかし、レオナルドは制約の多いフレスコ画を嫌うあまり、古い技法をアレンジした技法で挑戦したあげく、《最後の晩餐》の時とよく似た失敗をおかしてしまう。さらに運の悪いことに、一五〇五年六月六日、フィレンツェは豪雨に見舞われ、雨漏りの水でカルトンは破れ落ち、転写されていた下絵や、すでに彩色されていた部分の定着前の顔料は、大部分が消え落ちてしまった。

レオナルドは打ちひしがれて、またも制作を志半ばで放り出してしまう。一方のミケランジェロも、画稿を完成させたが教皇からローマに召喚されて中断してしまった。こうして両者の直接対決は引き分けにも至らない、試合不成立に終わった。

レオナルドによる部分的な準備素描は多く残されているが、残念ながら全体像を復元できるほどの材料はないため、本プロジェクトでは再現対象とはしなかった。ここでは同主題を描いた当時のほかの画家による板絵をもとにした、仮説としての復元想像図を載せておこう。

左―現在の五百人広間（フィレンツェ、ヴェッキオ宮殿）。右側の東壁に描かれていたと思われる。皮肉なことに、彼ら両名を崇拝していたジョルジョ・ヴァザーリの工房による1557年の壁画ですっかり覆われてしまった。

中―ルーベンスほか、レオナルド・ダ・ヴィンチの失われた壁画《アンギアーリの戦い》に基づく、制作年不詳（ルーベンスによる加筆は1600年以降）、パリ、ルーヴル美術館

下―レオナルド・ダ・ヴィンチの《アンギアーリの戦い》の全体構想の想像図（構成：ペドレッティ案を参考に、池上英洋。作画：川口清香）

［特別寄稿］

レオナルド　もうひとつの大壁画プロジェクト

鴨木年泰

レオナルドの未完の大壁画制作計画「アンギアーリの戦い」は、イタリア美術史上、最も野心的な装飾計画のひとつ。レオナルドとミケランジェロの競演が耳目を集めたエピソードでも有名だ。

二〇一五年に東京富士美術館で開催された「レオナルド・ダ・ヴィンチと『アンギアーリの戦い』展」は、同館が二〇一二年に《タヴォラ・ドーリア（ドーリア家の板絵）》として知られる著名な十六世紀の油彩画をイタリアへ寄贈したことをきっかけに実現した。

館の学芸で試行錯誤しながら企画に取り組み、準備最初期には東京造形大学の池上英洋教授に貴重なアドバイスも頂戴した。最終的に筆者の母校でもある東京藝術大学（以下、東京藝大）の西洋美術史研究室を訪ね、越川倫明教授の監修のもと、館と研究室の共同で展示構成することとなった。東京藝大から提案されたのは、作品の主題に注目し、レオナルド以前の戦闘画、レオナルドによる表現の革新、後世への影響という構成で戦闘画の歴史をたどるというもの。一方、ヨーロッパ各地を調査していた私たちに飛び込んできたのが、ミケランジェロの《カッシーナの戦い》を模写した十六世紀の板絵を、イギリスのレスター伯爵から借りられるという可能性だった。いずれも本邦初公開の十六世紀の板絵により、原作が失われた二大巨匠の戦闘画が五〇〇年の時を超えて並ぶ世界初の展示となった。さらに、東京藝大の総合芸術アーカイブセンター（当時）の協力を得て、《タヴォラ・ドーリア》の立体模型化も試みた。四組の騎馬の複雑な絡み合いが立体に再現され、レオナルドの卓越した空間把握能力に改めて驚く結果となった。静止したような戦闘画が普通だった当時、まさに絵画表現の革新であったに相違ない。

《タヴォラ・ドーリア》という魅力的な作品があらたに公開されたことで、《アンギアーリの戦い》についての今後の研究への関心が一段と高まることを期待したいと思っている。

かもぎ・としやす
東京藝術大学美術学部芸術学科卒業。東京富士美術館学芸係長。専門は日本美術史、刀剣。展覧会企画のほか、美術情報資料・収蔵品データベースを担当。全国美術館会議情報・資料研究部会幹事

作者不詳、《タヴォラ・ドーリア》(レオナルド・ダ・ヴィンチの失われた壁画《アンギアーリの戦い》の軍旗争奪場面に基づく)
16世紀前半　板に油彩とテンペラ　フィレンツェ、ウフィツィ美術館（2012年、東京富士美術館より寄贈）
Su concessione del Ministero per i beni e le attività culturali e per il turismo d'Italia

《タヴォラ・ドーリア》の立体復元彫刻　東京藝術大学総合芸術アーカイブセンター制作
（北郷悟監修、木本諒、井田大介、布山浩司、大石雪野、横川寛人、宮田将寛）
2015年　硬質樹脂その他　高さ37 ×幅60 ×奥行き40 cm　東京富士美術館

［特別寄稿］

現代のアーティストがレオナルドの絵画を立体化したとき

井田大介

上―《タヴォラ・ドーリア》立体化の作業の様子 2015年
下―井田大介のパフォーマンス映像作品《Paper Wheels》2016年

東京藝術大学総合芸術アーカイブセンター（当時）のスタッフとして《アンギアーリの戦い》の立体化プロジェクトに参加した。実体的な空間を前提としない絵画はそのままでは立体物にならないため、中央の旗を起点として、全体の距離感を再構成した。また、立体物では重力による制約も生じるので、相互の馬がもたれ合って立つ構造を考案した。

おもに参考にしたのは、若きレオナルドも制作に参加したはずのヴェロッキオ《コッレオーニ騎馬像》だが、両者では馬の種類が異なっている。レオナルドの馬のスケッチはヴェロッキオのものに近いので、絵画とスケッチでの違いもあるようだ。

私はレオナルドのスケッチに興味をもっている。現代のアートには、私も含めて、作家の身体を介して行う実験と検証のプロセスを作品化するものも多い。これらには、一瞬の現象を描き留めたレオナルドのスケッチと似たところがあると思える。

いだ・だいすけ
東京藝術大学大学院、MADアーティストプラクティス修了。現代社会におけるシステムの歪みやジレンマをテーマに作品を制作。米子市美術館、トーキョーワンダーサイト渋谷等で個展。グループ展多数

［付章1］

レオナルドのさまざまな顔

その多面性をひもとく

本章は、2019年5月13日、および2020年1月17日に開催されたレオナルド・ダ・ヴィンチ没後500年記念シンポジウムの要旨をまとめたものです

《モナ・リザ》と解剖学

布施英利

最初に「レオナルド・ダ・ヴィンチの解剖学」について。彼の解剖学研究はすぐに公にされたものではないが、「近代解剖学の父」と呼ばれるアンドレアス・ヴェサリウスによる骨格図（十六世紀）を見ると、その影響があることがわかる。人間の骨格は十二世紀頃から描かれているが、それらを一体のもの（スケルトン）としてだけではなく、一つひとつの骨をバラバラにして描くようになるのはレオナルドに始まるものである。ヴェサリウスを通じて、レオナルドの解剖学は後世に影響を与えたといえる。

次に《最後の晩餐》について。「手首を回す」という言い方があるが、解剖学的には、肘と手首の間にある尺骨と橈骨をX状にクロスさせることを指している。レオナルドの解剖図には二本が平行なもの（回外）とクロスさせたもの（回内）の両方が描かれており、それを解剖学的に理解していたことがわかる。「最後の晩餐」に登場する十三人の手のポーズは多様だが、向かって左の六人は親指が内側にある回内、右の六人は回外になっている。中央のキリストは回内と回外が片方ずつで、指揮をしているようにもみえる。優れた芸術作品は多様性と同時に統一性をもつものだが、そのことはこの事例からもわかる。

最後に《モナ・リザ》について。《モナ・リザ》といえば微笑みだが、実は、彼女は笑っているのではなく、無表情なのではないか。微笑んでいるようにみえるのは、顔のパーツの組み合わせによるものであり、絵画の構造がそれを生み出していることになる。ここにレオナルドの方法論のひとつがある。彼の解剖図に頭蓋骨の左右をずらして描いたものがあるが、《モナ・リザ》も同様に、いくつかの視点から見たものを再構成したものである。これを複数の人間がひとりの人物に構成されたものだと考えると、《最後の晩餐》の多様性の統一と同じことになる。これは解剖学的な発想を絵画で実践したものと考えることもできるだろう。骨格は微笑むものではないが、それを再構成することで微笑みを表現することができる。

上図―レオナルド・ダ・ヴィンチ《人の腕の解剖学的考察》ウィンザー城、王立図書館、RL19000v.
上が回外、下が回内の例。

ふせ・ひでと
解剖学者、美術批評家。人体の解剖学を研究し、また先史時代の洞窟壁画から現代アートまで美術書も数多い、通称「ダ・ヴィンチ博士」。著書に、『洞窟壁画を旅して―ヒトの絵画の四万年』（論創社、2018年）など

レオナルドとスコラ神学

原 基晶

レオナルドはルネサンス期の学術の共通言語であるラテン語をうまく使えなかった。ゆえに彼は観察を用いた経験から真理に到達しようとし、スコラ哲学には距離を置いていたとされる。

しかし当時の哲学への回路には、イタリア語で書かれたダンテの『饗宴』や『神曲』などがあり、レオナルドは『饗宴』を所有していた。また、彼の『絵画論』での画家と詩人の比較には『神曲』が使われている。彼は、両者をリアリズムにおいて比較し、眼のほうが詩の頼る耳より高貴であるため、画家が優れていると結論づけるが、そのなかに、当時の「視覚」についての思想が記述されている。

「眼は対象の像、つまりその似姿を受け取って、それを印象器官に送り、印象器官から共通感覚にわたって、そこで判断される(斎藤泰弘訳)」。

この「似姿」は対象とは別の、精神に刻み込まれる、印を押される「像」という意味での印象であり、『饗宴』第二巻の記述と重なる。この認識論は中世の数学者アヴィセンナに由来する。それを要約しよう。——脳の第一室には、表象力、つまり人間の五感を通じ共通感覚から外部の個別的イメージが再現され、第一室の頂点では、想像力が、外部の対象が存在しなくなってもイメージを保持する。次に脳の中央にある第二室で、思考力が、イメージの持つ個別的特徴から抽象的本質(美や悪など)をつかみ、それにより人間の知性は事物を理解し、脳の後部にある第三室で記憶し保持する。

実際、レオナルドの脳の解剖図はアヴィセンナの記述どおりなのだ。ここからレオナルドの『絵画論』の女性の美についての記述から彼の考えていた美の秘密がわかる。

「絵画で天使の顔を描いた時に生じる均整のとれた美しさ……その比例関係から調和的な諧調が生じ……眼に訴えかける(前掲訳)」。

この「比例関係」がアヴィセンナの「抽象的な本質」に該当する。レオナルドにとって、神の美は、事物の数学的比例関係にあった。彼にとってそれは神の創造の秘密であり、その秘密を使って創造された絵画の「美」は、創造主的行為だったのである。

はら・もとあき
文学研究者、東海大学准教授。ダンテ『神曲』の翻訳や、惣領冬美のマンガ『チェーザレ』(講談社)の監修者として活躍中。著訳書に、ダンテ・アリギエリ『神曲』(講談社、2014年)ほか

レオナルドとカラヴァッジョ

宮下規久朗

カラヴァッジョはレオナルドほど多方面で活躍したわけではないが、西洋の絵画史のなかで最大の革新を行い、バロック美術への道を開いた。一五七一年ミラノで生まれたカラヴァッジョはそこに長く滞在したレオナルドの遺産を受け継いだ。レオナルドによるミラノの《最後の晩餐》のなかで、カラヴァッジョに直接つながるのは静物画としての部分である。テーブルの上に克明に描かれた食器などは、そのリアルさにおいて、それまでの《最後の晩餐》と大きく異なっている。ローマに移ったカラヴァッジョが描いた《果物籠》は、こうした自然主義的な視点によって生み出された。

レオナルドは一四〇〇年代の明るい線的な様式を、一五〇〇年代の面を中心とするやや薄暗い様式に移行したとされる。彼の『絵画論』には陰影についての記述が見られるし、《岩窟の聖母》でも暗い背景のなかに浮かび上がる人物を描いている。これはミラノを中心とするロンバルディア地方特有の、明暗を強調する絵画へとつながっていく。《聖マタイの殉教》に描かれた人物（カラヴァッジョの自画像）の手の表現は《岩窟の聖母》に由来し、また《エマオの晩餐》での大きな身振りも《最後の晩餐》に学んだ成果だろう。

《病めるバッカス》の「肩越しの視線」も、《白貂を抱く貴婦人》のようなレオナルド作品に由来する。レオナルドはヴェネツィアを訪れており、そこで「肩越しの視線」はジョルジョーネに影響を与えた。この視線はレオナルドの追随者であるジョヴァンニ・ジローラモ・サヴォルドの《マグダラのマリア》にも見られるが、そこでは鑑賞者が蘇ったキリストの位置に重なるように構成されている。これを私は「不在効果」と呼ぶが、有名なのがアントネッロ・ダ・メッシーナの《受胎告知》であり、そこでは作品を見ている私たちが天使の位置に来るように配置されている。おそらくレオナルドはヴェネツィアでアントネッロの絵を見たと思われ、カラヴァッジョの《解放されたイサク》に見られる「不在効果」もまた、レオナルドの影響下にあると言ってよいだろう。

ミケランジェロ・メリージ・ダ・カラヴァッジョ
《果物籠》 1599年
ミラノ、アンブロジアーナ図書館

みやした・きくろう
美術史家、神戸大学大学院人文学研究科教授。カラヴァッジョやウォーホル研究を中心とした、多数の著書で知られる気鋭の美術史家。『カラヴァッジョ—聖性とヴィジョン』（名古屋大学出版会、2004年）、ほか

レオナルドと賢者の石

茂木健一郎

レオナルドには万能人というイメージがあるが、突き詰めて考えると疑問が出てくる。物理学の世界にはニュートンやアインシュタインといった本当の天才がいるが、レオナルドは科学や工学において天才の名に値するとは思えない。レオナルドはやはり画家であり、絵の素晴らしさに尽きると思う。私の考えでは、絵にはその人間のすべてが表れる。レオナルドが万能人である証しは絵のなかにあるといえる。

素晴らしい芸術作品のことを「マグヌム・オプス」と呼ぶが、この概念は錬金術と深く関わっている。錬金術における「マグヌム・オプス」とは「賢者の石」のことで、さまざまな物質を金に変換することができるとされている。そして、永遠の生命を与えるものとも、人工的に生命をつくりだすものともされている。錬金術においては、金よりも「賢者の石」をつくることが重要なのだ。レオナルドを含めて、芸術を考える上では、この「マグヌム・オプス」は重要である。彼の作品のなかでは、生涯手放さなかった《モナ・リザ》が「マグヌム・オプス」にあたる。優れた作品に接した際、それが「賢者の石」のように、見る者自身を変容させることがある。レオナルドが目指したのはそうしたものではなかっただろうか。

今の時代に、「賢者の石」に最も近いと考えられているのは人工知能だろう。人間の意識を機械に移し替えることができれば、永遠の生命を得られると考えられるからだ。だが、私はそれを疑わしく思っている。現在、一般に考えられている人間存在のセントラル・ドグマは、自分が一度限りの命を生きるということだが、脳や意識の研究をしていると、それが本当に正しいかどうかわからなくなってくる。コンピュータの開発でも、計算可能なものだけを扱い、質的な変化を考えてこなかった。人間というのはそれだけでは済まないはずだ。現代の社会は軽薄になっているが、それを超えて自分を変容させることが大切になる。こうしたところからレオナルドの作品を考えることが重要だろう。

もぎ・けんいちろう
脳科学者、ソニーコンピュータサイエンス研究所上級研究員ほか。「クオリア」研究や「アハ体験」で名高い。TVなど各種メディアで活躍中の万能人。著書に、『脳とクオリア―なぜ脳に心が生まれるのか』（講談社、2019年）ほか

一九七四年のレオナルド

藤井 匡

一九七四年は日本で《モナ・リザ》が公開された年だが、この前後には、普段は同時代の美術を扱っている美術評論家たちもレオナルドに関する文章を発表している。そこには、「近代世界を切り拓いた万能の天才」とは程遠いイメージが現れているが、その理由は、同時代の美術動向から考えることで理解ができる。近代の終焉という意識が高まり、美術の価値観が〈つくる〉ことから〈見る〉ことに移行したなかで、レオナルドも近代的な〈つくる〉人からポスト近代的な〈見る〉人へと読み換えられたのである。

　東野芳明はマルセル・デュシャンを「もうひとりのレオナルド」と呼び、両者を一体として考察する。たとえば、デュシャンは《モナ・リザ》の複製画に髭を描き加えたが、これはレオナルドの両性具有の思想を示すもので、思想の点で二人は共通するという。デュシャンを起点とすることで、近代の出発点にいるレオナルドを、ポスト近代を先取りした存在と見なしたのである。また、中原佑介が指摘するのは、レオナルドの発明品が一種の芸術品のように見えることである。とくに「はばたき飛行機」は発明品としてはまったくの失敗だが、それがゆえに、それを芸術として評価するのである。彼はレオナルドが書き残した空想的な計画を、スケッチで発表されていたクレス・オルデンバーグやクリストの壮大な構想の先駆とも見なしており、ここでも、近代に対する批判をレオナルドが先取りしていたことが示されている。

　こうしたレオナルド像の延長上には、國府理の仕事を位置づけることができる。彼の彫刻は〈つくる〉技術として高水準にありながらも、役に立たないものが大半となっている。たとえば、《プロペラ自転車》は羽根の回転で推進力を得ようとするものだが、危険すぎて使えるようなものではない。仮に、レオナルドを近代の批判者と見なすならば、こうした國府の仕事をその末裔に位置づけることができるだろう。一九七四年のレオナルド像は、現在の美術を考える上で、依然として有効性をもっていると考えられる。

國府理《プロペラ自転車》
1994年　個人蔵　撮影─北村光隆

ふじい・ただす
美術評論家、キュレーター、東京造形大学准教授。山口県宇部市で学芸員として野外彫刻展などを担当したのち、日本各地の展覧会やアートプロジェクトに携わる。著書に『眞板雅文の彫刻＝写真』（阿部出版、2020年）ほか

レオナルドの神秘思想

池上英洋

レオナルドが晩年手がけたデッサンに、〈大洪水〉のシリーズがある。そこには嵐と大洪水によって世界が破壊されるダイナミックなヴィジョンが示されている。『レスター手稿』に十五章からなる水の論考の章立てが残されているが、彼は運河や灌漑事業を進めていくにしたがって、大地の姿が長年の浸食の結果であることに確信を持つようになる。「水位が増して溢れ出した河川が引き起こす、手のつけようもない氾濫に対しては、人間が考え出したどのような堤防も役に立たない」。

ここで合わせて考えるべきは、レオナルドがたどり着いた思想のひとつであるアナロギアの概念である。彼は自然界のなかによく似た形状のものを複数見出し、そして、それらが往々にしてよく似た機能を持つことに思い至る。それらはたとえば葉脈と手の血管、河川の流域などの関係であり、流れを止めるとそこから先が死んでしまう点も共通している。「水こそはこの乾ける大地の生命液として献げられたものである」との言葉が示すように、あたかも血液が人体の生死をつかさどるがごとく、水が大地の生死をつかさどっていると考えるようになるのは、レオナルドにとって至極当然の成り行きだった。

晩年、レオナルドが教皇の弟ヌムール公の招きでローマに移り住んでいるのは、さまざまな状況証拠から何か大きな教皇庁の仕事の計画があったためと思われる。いずれにせよヌムール公が早逝するため実現しないが、計画の可能性のひとつと考えられるのが、システィーナ礼拝堂のミケランジェロによる《最後の審判》の壁面である。レオナルドの終末観はほぼ確実に水によってもたらされるもので、晩年に〈大洪水〉シリーズに注力していたことから考えても、もしレオナルドが〈最後の審判〉を描いていたとすれば、画面にはおそらく父なる神の姿さえなく、ただ神の怒りが嵐となって吹き荒れる大地と、この世の終わりを迎えておののく人々の姿が描かれていたのではなかろうか。

上図―レオナルド・ダ・ヴィンチ
〈大洪水〉シリーズの一葉
ウィンザー城、王室図書館、
RL 12376

いけがみ・ひでひろ
美術史家、東京造形大学教授、玉川大学客員教授。著書に『レオナルド・ダ・ヴィンチ』（小学館、2007年）『死と復活』（筑摩選書、2014年）、『レオナルド・ダ・ヴィンチ―生涯と芸術のすべて』（筑摩書房、2019年、第四回フォスコ・マライーニ賞）など

［記念国際シンポジウム］

レオナルドの今／レオナルドと日本

ラファエーレ・ミラーニ
田中英道、藤井 匡、池上英洋

本プロジェクトの一環として、二〇一九年五月十三日に八王子市生涯学習センター・クリエイトホールにて、国際シンポジウム「レオナルドの今／レオナルドと日本」が開催された。

風景美学の世界的権威であるボローニャ大学のラファエーレ・ミラーニは、レオナルド絵画に描かれた風景モチーフがもつ美学的意味について論じた。レオナルドの『絵画論』には、彼の自然への高い関心が著されており、初期の風景素描では鋭い観察眼を通して実際の風景を写実的に描いている。そこには彼の科学的な視点がある。その一方で、レオナルドはルネサンスのヒューマニズムとフィレンツェの新プラトン主義の薫陶も受けている。その結果としてレオナルドは、地形によって描き出される風景の優美さと、解剖学によって裏付けられる人体の優美さを同じレベルで扱っている。彼の神学的ヴィジョンはかなり汎神論的だが、自然によって生み出される風景と人体の優美さは、彼の定義によるところの神的なレベルで結びつく。そしてそれらを再創造する行為である絵画によって、レオナルドは「画家の精神は神の心に類似する」との考えに至ったのである。

続いて日本を代表するレオナルド研究者である田中英道により、《モナ・リザ》を中心に、レオナルド絵画への東洋美術からの影響の可能性が提起された。ヴェネツィア派の画家ベッリーニの作品に中国陶磁器がモチーフとして描かれているように、ルネサンス当時のイタリアには東洋からの美術品が多くもたらされていた。レオナルド作品に関しても、たとえば龍の素描などは、形態的に西洋のドラゴンの伝統的な図像よりも東洋の龍や麒麟により近いことが指摘された。同様に、《モナ・リザ》の背景に描かれた風景は、西洋絵画における風景描写としては非常に異質である一方、その構図や描写は東洋美術のなかにむしろ近いも

ラファエーレ・ミラーニ
ボローニャ大学教授、美学者。国際美学会イタリア代表。風景美学を中心とした著書多数、受賞歴多数。著書に"The Art of the Landscape"（邦訳書：『風景の美学』〈ブリュッケ、2014年〉）ほか

たなか・ひでみち
東北大学名誉教授、美術史家。前国際美術史学会副会長。著書に『ミケランジェロ』『レオナルド・ダ・ヴィンチ 芸術と生涯』『日本美術全史』（いずれも講談社学術文庫、順に1991年、1992年、2012年）ほか

のを見出すことができる。例として、画面左背景は馬軾の《春村図》（明時代、国立故宮博物院）と、右背景は許道寧の《雪渓漁父》（宋時代、同）の風景描写に酷似している。このように、《モナ・リザ》の幽玄ともいうべき不思議な風景は、東洋の美術の影響によってこそ生まれたのではなかろうか。

そして池上が、科学的分析を用いて近年行われた帰属問題検証を中心に、レオナルド研究の最前線を紹介し、最後に藤井が本プロジェクトによる復元の方法や目的、その意義について説明した。

馬軾《春村図》
明代　台北、国立故宮博物院

［特別寄稿］

作品が失われる前に

中村剛士

「モニュメンツ・メン」をご存じだろうか。第二次世界大戦中に、連合軍が美術品などの被害を最小化させ、ナチスドイツに略奪された美術品を奪還することを目的に編成した特殊部隊ＭＦＡＡの通称である。一九四四年に十七人から成る小部隊が編制され、ナチスの略奪美術品の隠し場所発見のため隠密裏に行動を始めた。メンバーには美術史家や学芸員など美術に精通した人もおり、終戦後から一九五一年まで活動し奪われた美術品の奪還に努めた。今のわれわれがレオナルド・ダ・ヴィンチ《白貂を抱く貴婦人》やファン・エイク《ゲントの祭壇画》、フェルメール《天文学者》などの名画を美術館で目にすることができるのも「モニュメンツ・メン」あってのことで、実際にオーストリアのアルト・アウスゼー岩塩抗に隠されていた約二万点もの美術品を、爆破の危機から救い出すのに奔走したのも彼らなのだ。映画「ミケランジェロ・プロジェクト」でＭＦＡＡの活躍を観ることができる。

さて、戦争だけでなく災害などが多発する今、美術館に常設されている絵画も未来永劫観られる保証などどこにもない。「あの時観ておけばよかった……」と悔やむ前に、積極的に実物のアート作品をその目に焼き付けておこう。

《白貂を抱く貴婦人》が取り戻されたところ。ドイツ連邦アーカイヴより。

なかむら・たけし
Ｔａｋの愛称で、日本を代表するアート情報サイト「青い日記帳」を主宰するアートの〝伝道師〟。goo「いまトピ」などのコラムを連載、『文藝春秋』への書評寄稿など幅広く活動。著書に『カフェのある美術館』（世界文化社、２０１７年）、『いちばんやさしい美術鑑賞』（筑摩書房、２０１８年）、『失われたアートの謎を解く』（筑摩書房、２０１９年）ほか

〔付章❷〕

アーティストたちとレオナルド

本章は、2020年1月5日～1月26日に代官山ヒルサイドフォーラム（東京都）で開催された「夢の実現展」に関連した各種イベントの内容を紹介します

ヤマザキマリさんと語る　ルネサンス偏愛

ヤマザキマリ

フィレンツェのアカデミア美術学院で学んでいた頃、教授に何点か絵を見せられて、「いちばん描きたくないのはどれか」と問われたので正直に選んだら、それを模写するように言われて唖然としたことがある。それはヤン・ファン・エイクの作品だったのだが、嫌々でもそのような模写を何度も繰り返していくことで、現地の画学生は技術を身につけ、自らのスタイルも発見していくのだと思う。

この伝統はルネサンス工房でも同じで、親方の作品を模写するのがほとんど唯一の美術教育であり、その結果、たとえばボッティチェッリの初期作品は師フィリッポ・リッピと見分けがつかない。

親方を中心に分担しながら作品を創り上げていく過程は今日の漫画家工房ともよく似ている。そして漫画が非常に身近なメディアであるのと同様に、当時絵画はもっと身近な存在だった。そのことも、漫画を通じてこれからも伝えていきたい。

上および前頁―ヤマザキマリさんのトークイベントの様子（2021年1月）。
BS朝日の谷村プロデューサーと漫画家とり・みきの両氏をゲストに迎えて行われた。

ヤマザキマリ

漫画家、文筆家、東京造形大学客員教授。国立フィレンツェ・アカデミア美術学院で油絵・美術史などを専攻。『テルマエ・ロマエ』（エンターブレイン）で第3回マンガ大賞、第14回手塚治虫文化賞短編賞。平成27年度芸術選奨文部科学大臣賞。2017年イタリア共和国星勲章コメンダトーレ。著書に『パスタぎらい』（新潮社、2019年）、『ヴィオラ母さん』（文藝春秋、2019年）、『オリンピア・キュクロス』（シリーズ刊行中、集英社）ほか

よみがえるルネサンスの調べ——レオナルドが生きた時代の音楽

アントネッロ

レオナルドは自ら演奏もする音楽家であり、また舞台の演出や衣装デザインまで担う総合演出家でもあった。古楽アンサンブル《アントネッロ》では、レオナルドの音楽家・演出家としての側面に光をあてるため、二〇一九年夏には「オルフェオ物語」を上演し、レオナルドが設計した舞台装置も復元している。そして東京造形大学ダ・ヴィンチ・プロジェクトの関連イベントとして、レオナルドの時代の流行歌などを取り上げ、当時普及していた楽器を用いて演奏した。

濱田芳通（はまだ・よしみち）日本の古楽界をリードするアンサンブル《アントネッロ》を主宰、リコーダーとコルネットのヴィルトゥオーゾ、バロック・オペラの指揮者としても活躍中。2019年（第6回）JASRAC音楽文化賞受賞

アントネッロ…一九九四年結成の古楽アンサンブル。最先端の古楽グループとして国内外で高い評価を得、フランス「ディアパソン」誌で五つ星獲得、フランス「レペルトワール」誌推薦盤、イタリア「MUSICA」誌最優秀推薦盤などに選出。二〇二〇年度（第五十回）ENEOS音楽賞洋楽部門奨励賞など受賞歴多数。二〇一三年より、バロックオペラ上演プロジェクト〈オペラ・フレスカ〉を開始。

レオナルド音楽の夜 Notte della Musica Leonardiana

森田 学

レオナルド・ダ・ヴィンチが生きたルネサンスの時代、イタリア半島ではどのような音楽が流行していたのだろうか。教会のミサなどで用いられる宗教音楽、宮廷での催しを盛り上げるための音楽、音楽家が作曲技巧を駆使して作り出す世俗曲まで、多種多様な音楽が当時の人たちとともにあったことだろう。加えて、西洋音楽史に取り上げられることのない、市井の人たちを熱狂させた音楽も数多くあったはずだ。

彼が活躍を願った舞台である北イタリアの宮廷や都市で当時流行していた音楽に、踊りのための歌や謝肉祭を祝う歌や「フロットラ」と呼ばれる歌があった。

当時の音楽作品は、楽譜にしっかりと書き残されたり、楽譜が広く販売されることもなかった。むしろ即興演奏や音楽家（作曲家）の頭のなかに留められることのほうが一般的だ。レオナルドがどれだけ素晴らしい曲を演奏したり作ったとしても現代に残されていないのはこのためである。詩句の持つリズムに合わせてメロディをつけたり、主だったメロディからコード進行のような大枠を読み取りながら音を重ねていく演奏が行われていた。

『レオナルド音楽の夜』では、フロットラの演奏だけでなく、レオナルドが歌い奏でた音楽が広がる空間の再現も試みた。手稿に書き残された「Amor mi fa sollazzar 愛は私を楽しませる」で始まる詩句と音符を頼りに、語りのようでもあり心地よい調べでもあるレオナルドの音楽を同じ空間で皆が楽しむ夕べとなった。

もりた・まなぶ
声楽家、音楽史・美学研究者、昭和音楽大学特任准教授。東京藝術大学卒業後、パガニーニ研究所などで研究活動。カルロ・フェリーチェ劇場での《コシ・ファン・トゥッテ》ドン・アルフォンソ役など歌手としても活躍。著書に、『オペラ事典』（監修、東京堂出版、2013年）ほか

サカナクションの山口さんと読み解く『レオナルド図鑑』

山口一郎

「私たちミュージシャンも、過去と現在の文化を未来に伝えていく責任を負っている」と語る山口さん。

ルーヴル美術館でレオナルドの《岩窟の聖母》を観た時に感じたのは、それがたとえフィクションとしての空間であっても、そこに描かれているすべてのモチーフが、現実世界にあるものをディテールに至るまで詳細に観察した結果であるという点だ。歌も一種虚構の物語を創る行為ではあるのだが、創り手と聴く人たちをつなげられるかどうかは、そこにいかに「本当のこと」を入れていけるかにかかっているように思える。

レオナルドについて知れば知るほど、彼が創作にあたって苦悩していたことに共感を覚え、未完成が多かったことも理解できるのだが、レオナルドの未完作品を現代の私たちが鑑賞して楽しむという現象は、音源制作完了時点が曲の完成ではなく、ライヴで観衆と空間を共有してはじめて完成する現象にも似て、それも彼の作品が完成に至るひとつの過程なのかもしれない。

やまぐち・いちろう
「サカナクション」として、2005年に活動を開始し、2007年にメジャーデビュー。「ミュージシャンの在り方」そのものを先進的にとらえるその姿勢は常に注目を集める。2015年からNFをスタートさせ、各界のクリエイターとコラボレーションを行いながら音楽とさまざまなカルチャーが混ざり合う多様な活動を高い表現で実現している

浅葉克己×山際康之 デザイナーとしてのレオナルドを考える

山際　レオナルドの構想図（たとえば左頁下図）の描き方は画期的で、これは現在の設計でも使われている。設計者として見ると、レオナルド最大の発見はこの構想図の書き方なのではないか。レオナルドの構想図には、「自信があるのだろうな」と思うものと「とりあえず描いてみたのだろうな」と思うものがある。実際に試作したと思えるものにはそれなりの痕跡もある。その見極めは可働する部分が描かれているか否か。こうしたところは試作した経験がないと描くことができないからである。

また、企画者として見ると、今の呼び方を使えば、「B to C」（ビジネスからカスタマーへ）ではなく、ほぼすべて「B to B」（ビジネスからビジネスへ）になっていることがわかる。王侯などからの受注による仕事ばかりで、庶民向けの仕事をしていなかったことが図面から読み取れる。レオナルドには「生活感のなさ」を感じることがあるが、このことと関係があるのかもしれない。

浅葉　レオナルドは水が流れているところをよく描いている。私も水に興味があり、JAGDAのポスター・コンペでグランプリを獲ったものに使っている。コップ一杯の水の大切さを伝えるもので、操上和美の写真に、未来の文字のようなイメージをもって、水滴ふたつで水を表現した。

《最後の晩餐》にも興味があったので使ってみた。ファッションデザイナーが一堂に集まったことがないと聞いたので、こういう写真（左頁上）を撮ってみた。ファッション雑誌の『流行通信』（一九七六年十二月号）に掲載したが、キリストは三宅一生で、ユダは山本寛斎（笑）。『流行通信』が休刊するときに、アンケートをとったら、この写真が一番評判が良かった。この写真は二〇一九年の展覧会「ユーモアてん。」にも出品している。また、「エンジン01文化戦略会議」を宮崎県延岡市で開催した際にも、「たべる、のべる、のべおか。」がテーマだったので、私も入った《最後の晩餐》の写真を撮った。

あさば・かつみ
アートディレクター、桑沢デザイン研究所長（当時）。広告、タイポグラフィ制作の第一人者として、日本の広告史に残るポスターやCMを多数制作する。代表的な作品に、西武百貨店「おいしい生活」、長野オリンピック公式ポスターなど。卓球六段

やまぎわ・やすゆき
工学者、東京造形大学長。ソニー（株）でウォークマンの製品設計やロボットのシステム設計などに携わる。著書に、『サステナブルデザイン』（丸善）など。『広告を着た野球選手』（河出書房新社）で第26回ミズノスポーツライター賞を受賞

上―浅葉克己(アートディレクション)
《最後の晩餐会》1976年
左―浅葉克己(アートディレクション)
《一杯の水》2005年
下―レオナルド・ダ・ヴィンチ
《方向転換器》
『アトランティコ手稿』、f. 30v.

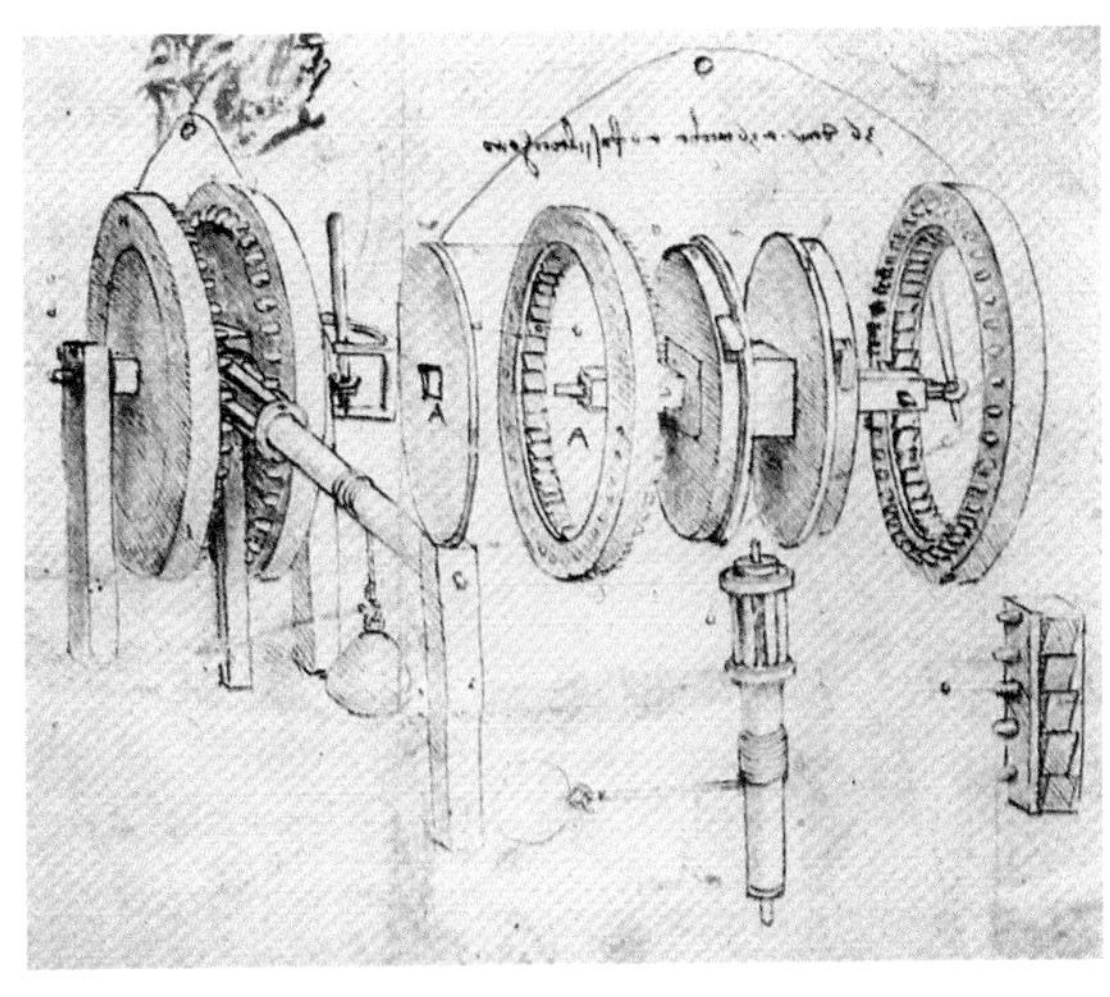

東京造形大学ダ・ヴィンチ・プロジェクト 参加メンバー

粟野由美　生嶋順理　池上英洋　井田勝己　上田知正　藤井 匡　宮崎勇次郎

中林鉄太郎　市川博之　松村文夫　安部雅彦　荒船卓海　保坂千晶
松田真生　新井 碧　吉田史章　任 一丁　蔭山正人　一ノ瀬 響　浦島 啓　行田尚史
小林 拓　込宮正宏　西平直人　宮前 陽　山下 諒

菊地 涼　近藤沙耶　棚橋愛美　古川秋月　松崎美羽　田中友美　角井若奈　稲垣綺音
片桐旭日　竹内綾音　土屋のの子　畑中志のぶ　青木優奈　岩森咲季　金子典弘　菅沼 環
山岸 稜　YANG XIAOSHUANG　GUO JUNCUN　三木理華子　牧野ひなこ　宮坂咲輝
奥山 幸　今野佑香　後藤美貴　塩野入友理　別所 瞳　宮本千夏　北川美彩希　渡邊眞子
井口茉優　鈴木愉々　中塚 匠　永瀬友聖　野口創詩　三芳日向子　大谷峻平　雨宮秋輔
植木智也　CHO KYUCHUL　中澤裕季　中田千裕　福原礼麻　御園生夏実　井上菜巴
ZHOU PEIYAN　CHEN ZHIFENG　孫 暁辰　竹下和貴子　阿部智子

上田哲也　齊藤 慈　佐久間恭香　鈴木添代　鈴木ぼたん　髙野紗耶加　髙柳あおい
竹澤舞海　中島瑞貴　町田 毬　丸山未来　奥友ひとえ　左川智大　藤 雄大　喜多萌々香
JI YICHEN　SONG ANPING　SUN KAIKANG　MIN YOUNG　西村風花　XIANG ZIQI
LI CHENXI　金丸峻也　寺西芽萌里　ZHANG XIAOLU　GUO GUOXIANG　古澤 茜
景平衿加　竹渕愛留萌　LEE JAECHAN　LYU WEI　樋口翔大　長谷川奈穂　丸山真海
OSTBY FIONA WREN

「夢の実現」展会場で2020年1月6日(東方三博士の礼拝の記念日)に行われたイベント「東方三博士の夜に」の様子。出演—東京造形大学大学院 Hachioji 影絵プロジェクト(指導—中里和人・首藤幹夫)

ダ・ヴィンチ没後500年「夢の実現」展
Realization of the Dreams of Leonardo Da Vinci (1452-1519): 500th Memorial Exhibition
会期―2020年1月5日[日]－1月26日[日]　**会場**―代官山ヒルサイドフォーラム
監修―池上英洋　**キュレーター**―藤井 匡
主催―学校法人桑沢学園 東京造形大学　**後援**―イタリア大使館　イタリア政府観光局
イタリア文化会館　公益財団法人日伊協会　**協力**―株式会社廣済堂

「夢の実現」展オープニング・レセプションであいさつをする山際康之東京造形大学学長。
着席者の右からパオロ・カルヴェッティ イタリア文化会館館長、ジョルジョ・スタラーチェ駐日イタリア大使。

東京造形大学について

一九六六年に設立。服飾や室内建築のデザイナーでありジャーナリストであった桑澤洋子により、デザインや美術の創作活動を、時代の精神や社会の創造に深く結び付いたものととらえ、造形活動を広く社会的な観点から探求し実践する美術大学として開学。デザインと美術を「造形」という広い観点から総合的にとらえ、固定概念にとらわれない柔軟な発想力で、学生の独自性を育む教育を実践している。二〇一九年より、タグライン『だれかで終わるな。』を制定。美術・デザインの高度な教育を通じて、学生一人ひとりの独自性の確立を支援し、試行錯誤をおそれず、しなやかさのなかにも強さを持ち、自らの力で社会を切り拓く人材育成を目指している。

https://www.zokei.ac.jp/

本書の刊行には東京造形大学2020年度
教育研究助成金による出版助成を受けました。

よみがえる**レオナルド・ダ・ヴィンチ**作品復元プロジェクト
二〇二〇年九月十日　初版第一刷発行

編著　東京造形大学ダ・ヴィンチ・プロジェクト
代表―池上英洋、藤井 匡
発行者　鎌田章裕
発行所　株式会社 東京美術
〒一七〇―〇〇一一　東京都豊島区池袋本町三―三一―一五
電話　〇三（五三九一）九〇三一　FAX 〇三（三九八二）三二九五
https://www.tokyo-bijutsu.co.jp
デザイン　佐藤篤司
写真提供　ユニフォトプレス（レオナルドのオリジナル絵画作品および3頁デッサン、141頁下）
安部雅彦（81、86～94頁）、山上洋平（82～83、98～109頁）
ほか記載のないものはすべて東京造形大学ダ・ヴィンチ・プロジェクトのメンバーおよび同大学企画・広報課による。
印刷・製本　シナノ印刷 株式会社

ISBN978-4-8087-1196-2　C0070

Other materials

Equestrian Monument of Francesco Sforza → P.82

Being trained in the bottega of the famous sculptor Andrea del Verrocchio, Leonardo also worked on several sculptures throughout his life. He even trained his own apprentice, the sculptor Giovanni Francesco Rustici.

Unfortunately, Leonardo's sculptures have been lost, but we know at least the plan of the equestrian statue of Francesco Sforza, which was almost completed before being interrupted by the war.

Architecture → PP.89-91 / PP.93-94

Here, you can see Leonardo's two architectural plans, with computer graphic animations and reduction models.

Engineer's inventions → PP.98-109

In addition to his career as a painter, Leonardo is known as an inventor of various weapons and machines.

Here, you can see computer graphics animations and reduction models of some of these inventions in various fields. They are beautiful, revolutionary, and unique.

Paintings: "2nd Florentine period and closing years"

The Virgin and Child with St. Anna → P.69

This is one of three paintings that were left in Leonardo's atelier when he died. In it, the Virgin Mary sits on her mother Anna's lap in a slightly unnatural position. Leonardo tried many times throughout his life to use three generations of the family as a subject.

Madonna of the Yarnwinder (*The Lansdowne Madonna*) → P.65

It has been thought that Leonardo's original painting of *The Virgin of the Yarnwinder* was lost and only copies by his apprentices remain. Among this group of paintings, *The Lansdowne Madonna* was painted based on Leonardo's original drawing. But it had not been made all by himself. We reconstructed the origin form of the background landscape, based on the infrared investigation.

La Gioconda (*Mona Lisa*) → P.19

This mysterious masterpiece continues to attract the attention of people all over the world. This artwork contains many mysteries, such as the identity of the model and the meaning of the unreal fantastic landscape.

There are innumerable reproductions of this painting, and it has been taken up many times in songs and literature. When Leonardo began this painting, he had just returned to Florence, entering his fifties.

The Virgin of the Rocks (*Second version, London version*) → P.49

This version was painted after a 20-year-long court trial. Based on Leonardo's drawing, Ambrogio de Predis painted almost all of this second version of the painting. He was a cooperative painter who frequently used metallic surface treatments in his own paintings. Leonardo himself probably revised the painting, frequently visiting Milan from Florence.

Salvator Mundi → P.72

Leonardo painted "Salvator Mundi," "Savior of the World," when he returned to Florence in his fifties after his "Milan period."

Since recent restorations have confirmed that this painting is based on Leonardo's drawings, the painting was sold for the highest price in the history of art auctions.

St. John the Baptist → P.75

This mysterious work depicts St. John the Baptist. The figure in the painting has nothing in common with typical images of St. John the Baptist, except for the cane with a cross-shaped tip and a simple cloth made of fur. Since it is believed to be Leonardo's final painting, it probably contains the final image and thoughts he created.

The Adoration of the Magi → P.35
When Leonardo moved to Milan, he left this huge painting in Florence, uncolored. If it were completed, it would become a masterpiece in the history of art. Later, Philippino Lippi made another *The Adoration of the Magi* as a replacement for Leonardo's unfinished piece. Philippino referred to Leonardo's piece in his version, so we primarily referred to Philippino's work to restore the colors in this painting.

St. Jerome → P.31
St. Jerome is one of two known works that Leonardo gave up before coloring. Few other painters add shadows with such definition at the drawing stage.

We reconstructed the colored version, based on the colors of his other works and his contemporary paintings of the very same subject.

Paintings: "Milan period"

The Virgin of the Rocks (*First Version, Paris Version*) → P.47
This is the first version of two paintings with the same title, *The Virgin of the Rocks.*

The commissioner of this painting had provided Leonardo with detailed instructions, ordering him to use gold leaf in the background and to paint angels flying in the sky, but Leonardo ignored all of these requests and only painted what he thought was necessary according to his own interpretation of the subject.

Because of this, the commissioner refused to accept the painting.

The Lady with an Ermine → P.51
The woman depicted in this work is Cecilia Gallerani, the mistress of the Duke of Milan, Ludovico Sforza. She holds a white ermine; the animal's ancient Greek name, "Galle," resembles her last name. This painting was seized by the Nazis during the World War II and recaptured after the war.

La Belle Ferronniére → P.53
Leonardo painted this painting at the end of his "Milan pereiod". Here, the painter almost established his own style. The red color of the dress is reflected below the subject's cheek, which is the result of the painter's scientific research on the effects of light.

Nearly 400 years later, French Impressionists painters were criticized for doing the same thing.

The Last Supper → P.58
The Last Supper is the largest painting Leonardo completed. Despite its sober location on the wall of a monastery's canteen, this mural painting cemented Leonardo as a master of painting. However, because the technique Leonardo chose did not suit the mural, it had already started deteriorating during Leonardo's lifetime.

The great Renaissance artist Leonardo da Vinci dreamt of fantastic creations throughout his life. To commemorate the 500-year anniversary of his death, We Tokyo Zokei University has attempted to realize some of his dreams.

Although Leonardo is well-known as a multi-talented Renaissance man, almost all of his works were either left unfinished or were never realized. Our project is the first attempt in the world to restore all of the artworks as Leonardo envisioned. Let's explore his world and experience the moment at which Leonardo's dreams come true.

Leonardo da Vinci was born in Vinci village on April 15,1452. Around the age of 13, he moved to Florence and started training in a workshop. At that time in Europe, the medieval era was over and the new Renaissance era had just begun.

It was not only a time of massive cultural changes, it was also an age of incessant wars. During his 67-year-long life, Leonardo left a footprint that made him worthy of being called the greatest figure in the history of art, science, and philosophy.

Paintings: "1st Florentine period"

The Annunciation → P.38

The Annunciation is Leonardo's substantial solo debut work that he completed soon after being registered with the painter's guild as a master at the age of 20.

Some of his skills were not yet fully mature, as can be seen through the unnatural length of the Virgin's arm. At the same time, there are many elements in this painting that predict Leonardo's future talent in various fields.

Madonna of the Carnation → P.45

The style of the Virgin and the distorted form of the vase make it seem that this painting was made during the same period as *The Annunciation*.

Leonardo's colleagues in Verrocchio's workshop may have assisted in painting it. Carnations are the symbol of Christ's passion because of their red color, which recalls blood and flesh.

The Benois Madonna → P.43

Leonardo noted that when he was 26, he started drawing two images of the Virgin and Child. One of them is thought to be *The Benois Madonna*. Unlike standard images of the Virgin, this Lady has a very warm, motherly expression.

Ginevra de' Benci → P.25

The *Ginevra de' Benci* is a painting Leonardo made around the age of 27. With this case, we would like to show the process of virtual restoration we employed in this project.

This portrait depicts the daughter of a wealthy Florentine merchant, and it is the only example of Leonardo's paintings that has a painted back side. In a later era, about one third of this painting was cut from the bottom. Here you can see its original form, reconstructed through our research.

List of Works &
Commentaries